063723

19.95

9.98
x

jo

D1472481

L'OURSIADE

ANTONINE MAILLET

L'OURSIADE

roman

ÉDITION DU CLUB QUÉBEC LOISIRS INC.
© Avec l'autorisation des Éditions Leméac Inc.
ISBN 2-7609-3133-1

à Luis de Cespedes
et
à la mémoire de sa mère Louise Darios

PREMIÈRE PARTIE

I

On a rapporté que sa mère, en phase termi-
nale de consomption, l'avait nourri au lait d'ourse.
Rien contre : l'ourse noire de nos pays met bas
tous les deux ans, dans les bonnes années, et
allaite ses deux ou trois petits durant cinq mois.
Un nourrisson de plus ne l'eût pas tarie. Mais
personne n'a pu dire comment une femme en
couches, tuberculeuse par surcroît, avait réussi à
traire une ourse de six cents livres sans en garder
de marques. Pas une égratignure. C'était l'époque des vaches maigres, qu'on a dit, alors que les
ours par ailleurs abondaient dans les bois, gras et
repus. Si l'on veut. Et puis une mère aux mamelles vides, et qui se sait condamnée, n'est pas
regardante et redouble de courage. C'est vrai.
On en a vu dans ces conditions forcer la girouette
à virer le vent. Mais de là à s'en aller farfouiller
dans le poil du ventre d'une mère-ourse qui sort
en bâillant de son hivernement flanquée de deux
écheveaux de laine qui lui roulent entre les pat-

tes, à écarter d'un coup de coude les nourrissons naturels pour faire de la place au sien, un petit d'homme tout rose et glabre... non, Simon le Métis n'avait pas dû téter une mère-ourse, comme on l'a rapporté, mais l'une des rares nourrices bénévoles sorties indemnes de la grippe espagnole ou de l'ère de la tuberculose. D'ailleurs le chasseur le plus enragé ne tue pas sa nourrice, tout le monde vous le dirait. Mais ça c'est une autre question. La loi du sang, ce hors-la-loi l'a mise au rang de toutes les autres. Une loi c'est une loi. Simon est né en dehors.

Enfant naturel de père inconnu et de mère indigne, orphelin de naissance, élevé à l'écart de la paroisse et à l'orée du bois, il avait grandi en marge. En marge même des quatre ou cinq villages qui jalonnent la Rivière. Il logeait — quoique ce mot-là résonnât faux aux oreilles d'un sans-logis — tout en haut, presque à la source, où la rivière s'appelle encore un ruisseau, le Ruisseau-de-la-Rivière, en l'occurrence. C'est là que Simon avait planté les pilotis de sa cabane. C'est là qu'il avait grandi. Et à quinze ans, il avait atteint ses six pieds. Sa pleine taille. Il ne pousserait plus. Atteint aussi l'autonomie et la liberté. Il avait souri de toute la face quand Ozite lui avait dit ça. L'autonomie du sauvage remontait à ses langes, quasiment. Quant à sa liberté, il l'avait conquise morceau par morceau, comme une terre. Mais la terre du Métis, c'était les bois.

La liberté perd son nom dans les bois. Trop de liens. Trop de lierres, de ronces, de petites bêtes et de grands animaux sauvages, maîtres de la forêt. Le sauvage c'est l'homme qui pénètre leur territoire. Chez eux, au mitan de la forêt, tous les animaux sont domestiques. Il était jeune quand il avait trouvé ça et cette découverte l'avait rempli d'une émotion qu'il n'arrivait pas à porter tout seul. Mais ni les chasseurs des anses et des baies, ni ceux des buttes n'avaient apprécié. Loup-Joseph, lui, avait carrément ri. Carabine sur l'épaule, bec de casquette sur le front et chique dans la joue, un chasseur qui entre dans les bois sait distinguer le sauvage du domestique et connaît ses droits. Que l'orignal et le chevreuil s'affinent les pattes. Même l'ours mâle d'une demi-tonne... Mettons de cinq ou six cents livres. Loup-Joseph avait eu le sien avant qu'on lui confisque sa carabine. Et Grand-Galop. Et Zéphire. Eh quoi ! un chasseur c't un chasseur ! Simon n'avait rien contre. Il avait seulement prétendu que l'ours dans ses bois était chez lui, comme Zéphire sur sa terre où trônait le pont couvert ; que la chasse commençait à l'heure où l'homme ou la bête pénétrait dans le territoire de l'autre. Loup-Joseph avait ri encore plus fort. L'un de ces jours, au train où vont les choses, on verrait l'ours ajuster son fusil et viser un Simon à quatre pattes, la queue en l'air et le poil à pic.

Seule Ozite avait compris. Et elle avait raconté au chasseur d'ours la plus grande peur de sa vie.

Elle venait de mettre au monde son benjamin. Elle s'en allait aux bois à la cueillette de brindilles et d'écopeaux. Quatre ou cinq ans plus tôt, elle avait pris en élevage un ourson du printemps qui poussait des cris aigus en tournant autour de la carcasse de sa mère. Ozite avait alors recouvert la charogne de mousse et de feuilles sèches et ramené le nourrisson au logis. Au début elle l'avait laissé en liberté, prendre l'air entre la cour et le potager ; mais très tôt les voisins avaient craint pour les animaux domestiques. Elle avait donc fini par l'attacher à un pieu derrière la maison, tout en lui laissant beaucoup de corde. L'ours continuait à s'amuser avec les enfants, les chats et les chiens, comme s'il était né lui aussi au grenier ou à la grange. D'ordinaire, quand Ozite s'en allait aux bois, elle le détachait et l'emmenait. Pour ne pas le couper tout net de ses origines et lui accorder une manière de liberté de choix. Un jour, se disait-elle, il y restera. Mais il revenait toujours. Ce matin-là, cependant, comme elle relevait de ses couches, elle se rendit seule en forêt, confiant à l'ours la garde du berceau.

— Éloigne les mouches, qu'elle lui avait signifié, et laisse point approcher le poulain ni les veaux ; je serai pas longtemps.

Pas longtemps. Juste le temps d'atteindre le trécarré et de se trouver nez à nez avec son ours qui avait dû se détacher, passer par le mocauque et la rattraper. Elle était tolérante, Ozite, jeune femme, et juste. Mais prompte. Et sur le chapitre de l'éducation, ne badinait pas. Après avoir élevé sept enfants, dressé une dizaine de poulains, quelques taureaux et deux maris, elle s'était fait le bras. Et elle arracha du sol une longue hart de vergne.

— Si tu crois que ça va se passer de même ! qu'elle dit à l'ours.

Et vlan ! sur le museau. Elle connaissait le point faible de tout le monde, Ozite, bêtes et gens. L'animal se dressa de toute sa taille sur ses pattes de derrière et poussa un horrible grognement. Ozite eut un léger frémissement des paupières mais ne lâcha pas.

— Grogne toujours, mais tu vas apprendre, mon effaré. C'est ton choix. Tu vis en domestique et t'obéis : c'est la règle. Sinon... À prendre ou à laisser.

14

Elle fixa l'ours droit dans les yeux, les deux corps proches à se toucher. Puis elle le vit qui abaissait lentement ses pattes d'en avant, se détournait d'elle et en trois bonds disparaissait sous la broussaille. Il avait choisi. Il l'avait quittée. Elle lança dans les vergnes sa hariotte et revint en hâte au logis à cause du nouveau-né, mais avec du plomb dans la poitrine... Elle eût préféré le voir choisir sa liberté dans d'autres circonstances, pas à la suite d'un châtiment. Elle eût préféré. Elle avait eu beau lui proposer chaque jour le choix, elle eût préféré... Elle songea au petit et pressa le pas. Elle poussa le clayon, traversa la cour et trouva l'ours au pied du moïse, qui chassait les mouches et gardait à distance les veaux et le poulain.

C'est à cette minute-là qu'Ozite eut peur, la peur qu'elle n'avait pas éprouvée une heure plus tôt en châtiant en plein mitan de la forêt un ours adulte et complètement sauvage. Elle s'essuya la nuque ; et entourant le cou de sa bête, elle lui chuchota à l'oreille :

— Je crois bien que j'ai rencontré de ta parenté là-bas. Je dirais même que c'était l'un de tes bessons.

Ozite gloussait encore en rapportant cette histoire, quarante ans plus tard.

Quarante plus tard, c'était il y a vingt ans. Aujourd'hui, Ozite était quasiment centenaire. Son dernier-né avait eu le temps de grandir, vivre sa vie et trépasser. Une vieille de cent ans a eu beau mettre sept enfants au monde, elle achève ses jours aussi seule qu'un orphelin. Seule comme le Métis.

— Quand c'est que tu vas te décider ? qu'elle lui lança une fois de plus du fond de cet amas de laine, coton, flanelle et flanellette qui gardait au

15

chaud et au secret l'essentiel de la vieille Ozite. Un homme de ton âge a le droit de s'établir sans demander la permission à personne.

À personne, en effet. Le Métis n'aurait pas su à qui demander la permission pour s'orienter à droite ou à gauche dans la vie. Il avait donc abandonné sa destinée aux caprices de la lune et des vents, et confié son éducation à ses seuls instincts. À passé trente ans, ce hors-la-loi était aussi libre et aussi gueux qu'à la naissance, ne possédant rien mais n'en devant pas davantage, ne se connaissant aucun ancêtre, aucune progéniture, aucune parenté. Si, une seule : Marguerite, sa cousine. Lointaine cousine, du côté maternel. Le Métis n'avait hérité que du maternel. Et si peu. De si loin. On ne comptait plus les degrés entre sa mère et Marguerite, dans un pays pourtant si proche de la source commune. Son surnom de Métis, il le devait à son nez, ses mœurs et ses origines paternelles inconnues.

— Entache point ton nom du nom de ta cousine, que lui avait signifié un jour le fringant Grand-Galop sous l'œil narquois de Loup-Joseph et des autres.

Le Métis n'avait rien dit, mais s'était mis à jongler. Marguerite, par son père et deux grands-mères, se trouvait interdite à quasiment tous les chasseurs des cinq branches de la Rivière, y compris Loup-Joseph et Grand-Galop. Pourquoi Simon seul devrait-il l'appeler cousine ? Lui le sans-famille, le hors-la-loi, l'orphelin universel, on lui flanquait l'unique parenté dont il ne voulait pas. Justement parce qu'il la voulait. Il voulait Marguerite.

Il avait voulu Marguerite.

— Iras-tu me ragorner des pommes du mois d'août encore c't'année ?

Encore cette année. Comme chaque année. Le Métis n'avait jamais failli à Ozite, sa plus proche voisine. Sa seule voisine. Elle veut des pommes, elle en aura. Une colline, trois ou quatre champs en friche, un ruisseau, un pont couvert, et il débouchera à la Butte-aux-Oies sur la terre de Zéphire Léger. Il se couchera sur le ventre, rampera jusqu'à la clôture, jusqu'au verger, choisira au sol les plus grosses pommes comme chaque année, sous l'œil de Zéphire qui n'ouvrira pas la bouche pour répondre à sa femme qui veut savoir qui va là. Il pourrait demander, le Métis, dire que c'est pour Ozite, la centenaire. Mais ce serait s'abaisser. Les pommes vont se perdre, comme la rhubarbe au printemps et les citrouilles à l'automne. La nature va les reprendre. Ozite a bien le droit de se servir avant la nature. Voilà ce que pense ce sauvage, qui n'a jamais pensé comme le prêtre ou Gilbert, le député du comté. Gilbert aurait dit : Demande, Simon, personne te refusera. Mais Simon n'avait jamais été ramandeux. Ne demandait qu'à la nature, à laquelle il rendait cent pour cent, donnant donnant. Comme Ozite ne manquerait pas de rendre à la nature ses pommes du mois d'août qui colleraient au fond de la marmite, comme chaque année depuis qu'elle passait quatre-vingts.

— Quand c'est que tu vas te décider ? que répète la vieille.

Le Métis se détourne et regarde ailleurs. Du côté des buttes où douze ans passés...

... Elle l'avait eu d'un gars des États, son enfant, qu'on avait rapporté dans le temps. Pas mariée, oh non ! Pourquoi aurait-elle été se présenter au prêtre avec son gros ventre ? L'étranger n'était pas venu pour rester. Mais le Métis savait que c'était faux, que Marguerite n'avait connu

17

aucun gars des États. Ni aucun matelot d'un steamer norvégien accosté au port. Un chasseur. Un des chasseurs de l'un des villages blottis entre les buttes, ou au creux d'une anse à l'embouchure de la Rivière. Pas un étranger. Le suborneur de Marguerite, et le père de son enfant, fréquentait les bois du Métis, chassait sur ses terres, piégeait le même gibier que lui. Chaque jour Simon devait marcher dans ses pistes et respirer l'odeur que le traître laissait traîner dans ses tracs. Depuis douze ans. Elle ne l'avait point eu d'un matelot, ni d'un gars des États. Et Simon s'était enfermé dans la grange à Ozite durant des jours, sans dormir ni manger. La vieille avait bien essayé de le faire boire au moins. Il avait bu. Bu à s'en saouler. Depuis il avait toujours bu. Et Ozite n'y pouvait plus rien. Si j'avais su, si j'avais su ! qu'elle répétait en se flagellant l'échine de son torchon de vaisselle.

Elle était morte en couches, Marguerite, comme la mère de Simon dit le Métis. Mais sa mère toussait en plus, qu'on lui avait dit, et crachait le sang. Pas Marguerite. Elle s'était laissée aller. Et avait laissé dans les bras d'Ozite un garçon sans nom de famille. Le Métis ne sortit de l'aire de la grange qu'aux six coups du glas. Il les avait comptés et avait su que c'était une femme. Et si c'était une femme... Ozite avait fait signe que oui. Alors il avait lapé jusqu'à la dernière goutte pendue au goulot de la dernière bouteille, jusqu'au delirium tremens, eh ! oui, du latin ! il était rendu dans le latin, le grec, le chinois, dans un nébuleux et splendide gazouillis comme il n'en avait entendu qu'au printemps sous bois. Il avançait le long du sentier qui rattachait les bâtiments d'Ozite au grand chemin en posant un pied juste exactement devant l'autre, sur une corde raide, gardant l'équilibre, les bras comme un Christ en croix, les orteils agrippés au fil invisible, l'œil fixe, humide et jaune. Il calculait pouvoir se rendre ainsi au bout du monde en cinq ou six jours, sans trébucher une seule fois, s'arrêtant juste pour pisser, marcher tout droit jusqu'au bord, fin bord du globe terrestre et là, dans un superbe plongeon, en levant sa casquette à ceux qui restent, se garrocher dans le vide. Les autres l'avaient rattrapé entre la Butte-aux-Oies et l'Anse-au-Trésor et ramené finir sur sa paillasse un delirium tremens qui sortait dangereusement du latin et ressemblait de plus en plus à une écœurante et vulgaire saoulerie.

— Quand c'est que tu vas te décider à t'établir ? répète Ozite qui à la veille de ses cent ans a bien le droit de commencer à radoter. Je finirai par bâsir l'un de ces jours, même si je me tiens encore droite comme un chêne, je finirai par casser en deux. Ce jour-là, essayez point de me recoller, contentez-vous de m'enterrer avec tous mes morceaux.

Elle lève la tête vers le Métis :

— Et pis prends soin du petit, Simon, t'es son plus proche parent.

Le Métis voudrait regarder au loin, mais la lisière du bois rapproche l'horizon quasiment à ses pieds. Et au hasard, il annonce à Ozite qu'on prévoit pour bientôt une éclipse totale du soleil.

La bougresse ! Si la sécheresse du mois de juillet, qui a durci la terre, s'en est venue compromettre une grosse partie de la récolte sans même se donner la peine d'avertir, à quoi doit-on s'attendre avec une éclipse en plus ! Le Métis veut lui dire que l'éclipse n'est prévue que pour le printemps qui vient ; mais la centenaire, qui a une autre vision du temps et ne se fie à personne,

19

songe à remplir sa cave et son grenier, et à calfeu-
trer ses fenêtres.

Puis tournant la tête du côté du bois, elle se
chiffonne le nez et plisse les yeux :

— Tu sens rien ?

Et elle se hâte vers le puits, y vérifier la
hauteur de l'eau.

La vie a beau être courte...

II

C'est dommage que la terre soit si ronde et
l'horizon si proche. Surtout en forêt où, faute
d'espace, les racines sont forcées d'empiéter sur
le terrain d'autrui. Et regardez-moi ces branches
qui se croisent entre elles sous le moindre vent et
confondent bêtement le branchage de l'érable
avec celui du tremble ou du peuplier ! Le soleil
parvient à peine à filtrer jusqu'au sous-bois, même
en plein midi, et encore par rayons obliques.
Comment voulez-vous que dans des conditions
pareilles la buée monte, la croûte sèche et dur-
cisse, la terre ne pourrisse pas ? Comment voulez-
vous qu'une chatte y trouve ses chats ?

Mais les chats n'ont pas affaire là.

La forêt, pour les mille raisons invoquées
plus haut, n'est pas le royaume des léchés, dégrif-
fés, châtrés, légitimes, rectilignes, rasés, tondus,
ou nés d'insémination artificielle. Pas un lieu de
rencontre ou de croisement pour animaux domestiques. Que le chenil se le tienne pour dit. Et

la basse-cour. Et le colombier. Ça prend un farou-che soleil de chandeleur pour réveiller la mar-motte, puis des rayons drôlement cachottiers pour ne pas l'effrayer de son ombre et la renvoyer à son trou. Ça prend des vents froids de nuit et chauds de jour pour faire pisser les érables. Ça prend tant de jeux combinés de toutes les forces de la nature pour faire pousser des pattes aux amphibies et des ailes aux oiseaux, que plusieurs espèces ont renoncé, épuisées par des siècles et des millénaires d'attente. Et celles-là sont venues ajouter leurs carcasses primitives à l'humus où pourrissent déjà les souches, les feuilles et les fruits mûrs.

Ça prend surtout la force, la ruse, le courage et un formidable appétit. Plus deux ou trois sens particulièrement affinés.

Revenant-Noir s'avance dans un silence de plomb. Il pose sur la mousse, qui à peine s'en ressent, son poids de sept cents livres, évitant de la plante de son pied en crêpe bretonne un inno-cent papillon jaune frétillant au ras du sol. Le papillon s'élève, voltige et vient se poser sur la tête de l'ours en signe de gratitude. Y a pas de quoi, mon vieux, tu me revaudras ça. Et l'ours mâle de douze ans et de sept cents livres, dénom-mé Revenant-Noir par le Métis, ratifié plus tard par ceux des principales buttes qui jalonnent la Rivière, enfin par toute la tribu de Revenant-Noir lui-même, continue sa progression dans le sen-tier qu'il a tracé au début du printemps au plus creux de la forêt, et que nul autre qu'un ours ne connaît ou ne reconnaît comme sentier. À peine une piste, disons une ligne en zigzag serpentant entre les chênes et les trembles, traversant la broussaille, contournant les sources, en viaduc au-dessus des terriers, des tanières et des nids de fourmis, ligne courbe, croche, serpentine, qui relie les deux extrémités du territoire incontesté de Revenant-Noir. Il en a marqué chaque bouleau — le bouleau est son arbre — abandonnant le saule, le hêtre, le mélèze, l'épinette ou autres espèces secondaires au chevreuil, à l'orignal ou même à l'ours-chef de la tribu voisine. Qu'on griffe ou racle l'écorce de tous les trembles qui s'excitent sous la moindre brise ; mais qu'aucune patte ni aucun panache n'ose effleurer le tronc du bouleau blanc, blason de Revenant-Noir.

Il avance sans regarder — à quoi servent les yeux à celui qui dispose du plus sûr museau et des plus fines oreilles de la forêt ? — et cherche à identifier cette âcre odeur mélangée de résine, de cocottes et du fumet de viande fraîche flottant au-dessus de sa tête. Puis il entend le cri strident du geai bleu :

... Attention, les ours ! attention, les ours !

Il se dresse sur ses pattes de derrière, de toute sa taille qui dépasse six pieds ; il fait de grands cercles de la tête en dilatant les narines ; et dans un grognement qui secoue tous les nids de son domaine, réveille les mille terriers, puis ébranle une forêt qui largue dans un jet de fontaine ses touffes d'insectes. Revenant-Noir s'élance dans un bond qui eût ébloui même les gazelles du désert. Il file vers le centre du clan où les nouveau-nés du printemps tournoient entre les pattes des femelles et où les jeunes ours de la saison dernière apprennent à grimper aux arbres et à en redescendre sous l'œil moqueur de leurs aînés de deux ou trois ans.

L'arrivée inopinée de Revenant-Noir effraye les petits et fige les grands. Fait lever la tête à l'ancêtre Oursagénaire qui refuse de se déplacer avant de comprendre de quel malheur il s'agit cette fois.

... Voyons, grand-mère, vous ne sentez rien ?

Elle sent, pour qui la prend-on ! elle sent la vomissure de pommes et la résine de sapin, et un vague relent de roussi venu de loin ; et elle veut savoir pourquoi le branle-bas.

Revenant-Noir se plante au milieu du clan et prend le temps d'étudier les vents et de mesurer, à l'odeur et au crépitement, la distance approximative du foyer d'incendie. Entre les branches sud, est et nord-ouest de la Rivière, qu'il flaire. Proche des habitations des hommes qui ne manqueront pas de chercher à détourner le feu. L'ours songe, à sa manière, qu'il faut se garder, en fuyant un fléau, de donner dans un autre.

... Tenez-vous ensemble, serrés, et suivez-moi.

Ainsi s'enfonce Revenant-Noir au cœur de la forêt, entouré des femelles, elles-mêmes enfargées chacune de deux ou trois petits du printemps, suivi de toute la jeunesse des trois ou quatre printemps précédents, de ses frères, sœurs, cousins, cadets et subalternes qui ont accepté son autorité inconditionnelle le jour où il a vaincu son principal rival, le grand Solitaire, disparu depuis sans laisser de traces. Et bien sûr, traînant loin derrière, en queue de file, l'ancêtre de tout le clan, la vieille ourse dite Oursagénaire. Elle rechigne, comme il se doit, et se rebiffe, et se débat au milieu des cinq ou six fringants qui lui tournent autour comme des mouches et s'efforcent de la faire avancer plus vite.

... Plus vite, grand-mère, les flammes approchent à pas d'élan.

... Ah ! l'élan, c'ti-là ! Appelez-le donc Orignal comme tout le monde.

Et puis elle ne voit plus rien.

Bien sûr qu'on ne voit rien. L'ours est le dernier animal de la forêt à percevoir le monde extérieur par la vue, le seul sens dont la nature, autant l'avouer, l'a presque dépourvu. Pas complètement, n'allez pas vous méprendre et lui rire au nez. De toute manière, on recommande de ne rien lui faire au nez, jamais, le nez lui tenant lieu d'yeux et de tout le reste : en plus de l'entendre, il sentira votre rire et vous demandera d'en rendre compte. Pas qu'il soit susceptible ; fier, disons, et prudent.

L'Oursagénaire, outre sa myopie de naissance, voire de nature, a l'ouïe basse depuis une saison ou deux. Voilà qui est plus grave. Car après le museau, l'organe majeur de l'ours est l'oreille. Déjà toute la tribu entend les avertissements criards du geai bleu, de même que le crépitement et le sifflement du feu qui dévore les conifères à grandes goulées de chaque côté d'au moins trois branches de la Rivière. Pas l'Oursagénaire. Elle n'entend rien. Mais elle sent. Cette fois elle sent. Ni les pommes, ni les pistils des fleurs, ni les jeunes lièvres sortant la tête de leur trou pour flairer la vie un bon matin et hop ! glissant tout frais et grouillants dans le got de l'ours. Elle sent l'écorce brûlée, et prépare son bond. Le bond de l'ours qui chaque fois dresse sur ses pattes toute la bestiaille du sous-bois et lui arrache un cri d'admiration. Même aux jeunes faons du printemps. Elle se prépare, ramasse tout son corps sur son rond de derrière, vise et patatras !... vient donner du museau sur le tronc d'un chêne tricentenaire. Malgré la gravité et l'urgence du moment, et sauf votre respect, grand-mère, sa progéniture ne peut se retenir. Et faute de savoir rire, elle éclate d'un joyeux grondement.

... Ça, madame-mère, c'est bien mal commencer une journée !

Revenant-Noir fait demi-tour et revient flairer la vieille, estimer les dommages et organiser les secours. Il pousse du museau quatre de ses fils de cinq ou six ans, ceux de la grande sécheresse et ceux de l'inondation, car les années se suivent sans trop se ressembler en forêt. Nés dans des conditions si différentes, ces jeunes ours ont développé des défenses diamétralement opposées : les uns portés vers l'eau ; les autres, les terrains secs. Revenant-Noir sait d'instinct qu'en postant les droitiers à gauche et les gauchers à droite, il obtiendra des deux paires d'encadrer si étroitement l'Oursagénaire qu'elle ne risquera pas de tomber.

... Ça va comme ça ?

... Ça va, ça va.

Et elle crache.

Puis le chef reprend la tête du défilé.

En temps ordinaire, les grandes espèces se tiennent éloignées les unes des autres, respectant avec plus ou moins de scrupule le territoire d'autrui. L'époque de la conquête s'est terminée, à la fin des temps préhistoriques, sur l'élimination de quelques espèces mineures, encombrantes ou décadentes ; sur l'assujettissement de milliers d'autres plus faibles ou en pleine mutation ; et sur un tacite et pourtant ferme modus vivendi entre les grandes puissances, à savoir l'ours et l'orignal pour ce qui est des branches ouest, nord, nord-nord-ouest de la Rivière. En temps ordinaire, on ne surprendra pas un ours qui a tous ses esprits en train de gratter son tremble ou son bouleau en territoire interdit ; mais pas davantage un orignal, même d'une demi-tonne et empanaché d'une couronne à quatorze pointes, à l'intérieur du territoire délimité par le Revenant-Noir. Pas s'il jouit de ses pleines facultés. Chez les animaux comme chez les hommes, c'est chacun pour soi ; mais chez les premiers, c'est en plus chacun chez lui.

En temps ordinaire.

Mais en temps de catastrophe, on part en catastrophe, sans réfléchir, se fiant à son seul instinct, qui est tout ce qu'il y a de plus sûr chez l'animal, sans tergiversations ni respect des lois, la première loi, en ces moments-là, étant le sauve-qui-peut. Et si la survie emprunte alors le chemin de traverse d'une zone occupée, tant pis pour l'occupant qui a d'ailleurs lui-même, à l'heure de l'invasion, déjà envahi le territoire voisin.

C'est ainsi que la vague d'ours déferla à travers le domaine des loups, des coyotes, puis des cerfs, et pénétra sous la poussée de la rafale dans le royaume des orignaux. Ici, toutefois, Revenant-Noir cessa de cracher et laissa entendre à ses sujets, les femelles surtout, de ne pas ouvrir la gueule. C'est le moment pour un mâle de sept cents livres et de plus de six pieds de la tête à la queue de justifier pleinement sa réputation d'animal silencieux et son surnom tribal de Revenant-Noir. Fondre sa silhouette au sombre feuillage de la forêt et voler au-dessus du sol sans casser les brindilles ni s'enfarger dans les ronces : voilà le secret de l'ours qui, talonné par l'incendie, doit franchir la zone interdite. Pas le temps de lever les yeux vers les glands et les pommes sauvages qui pendent au-dessus de vos têtes ; ni de flairer du côté du terrier enfoui sous le tas de feuilles mortes.

... File, Revenant-Noir, ne t'arrête pas, file sans te retourner, ne te donne pas la peine de humer ni de prêter l'oreille, fie-toi à tes seuls instincts, il sera toujours assez tôt après la pluie pour te refaire les poumons et compter tes petits... elle pourrait tarder cette pluie, même si on en a grand besoin, ne compte pas dessus pour l'instant, le ciel est clair au-delà des feuillages, on le sent à la chaleur des rayons qui passent à travers les pins en parasol, ne compte pas dessus même si elle finira bien par tomber, l'air est trop lourd pour croire qu'il n'est pas chargé, à moins qu'il soit lourd de suie et de fumée, sait-on jamais. Écœurant. Les petits sont nerveux. Risquent à la moindre distraction de s'égailler entre les broussailles. La senteur trop forte leur pique les narines. Et le bruit. Crépitement. Rappelle le choc des bois des chevreuils en rut. Ils ont peur. Leur premier feu de forêt. Ont tout à apprendre. Les pauvres !

Revenant-Noir s'est arrêté brusquement, sans avertir. La procession se débande, les petits roulant entre les pattes des gros qui basculent les uns sur les autres. On se relève et cherche à comprendre. Tous les museaux font des arabesques dans la direction du vent. On s'ébroue et crache et gronde. Revenant-Noir pousse alors un grognement énorme pour se bien faire entendre jusqu'au dernier, un dernier qui est une dernière, l'Oursagénaire littéralement épaulée par quatre de ses arrière-arrière-arrière-petits-fils qui n'aspirent qu'à se faire muter. Le chef fait un signe de sa façon de se tenir cois, le temps de déchiffrer, sonder et identifier le bruit d'un autre ordre qui vient s'ajouter au pétillement des flammes.

... J'avais cru les reconnaître aussi, manquait plus que ça !

Les chasseurs !

Et chaque bête se recroqueville en un rond compact pour prendre son élan, mais fige sous un nouveau grognement de Revenant-Noir qui ne craint plus, vu les circonstances, de réveiller le chat qui dort. Que personne ne bouge. Restez sur place. Le chef ira seul inspecter les lieux du danger et chercher une autre issue.

À pas d'ours, c'est-à-dire souple et feutré, il avance vers l'épicentre du son d'où s'élève une cacophonie de voix criardes et nerveuses embrouillées par le sifflement d'un vent de flammes. Une bouffée de suie noire s'infiltre dans son museau et pour la première fois, l'ours se surprend à maudire son sens olfactif qui hier encore l'élevait au-dessus des plus grands carnassiers ou ruminants. Il se sent humilié, baisse la tête et se pince les narines.

Il ne l'a pas senti. Jamais auparavant Revenant-Noir ne s'était approché à moins de trois arbres du chasseur sans l'identifier. Ses yeux, pour la première fois de sa vie, ses yeux ont repéré l'ennemi avant ses oreilles et son museau. Il a honte. Premier réflexe, l'Ours se redresse de tout son long face à l'homme qu'il domine d'une tête. Il sait que d'un seul coup de patte il peut lui écorcher la moitié de la poitrine. Mais l'homme n'est pas seul, il cache derrière lui un petit d'homme, Revenant-Noir vient de l'entendre respirer. Plus, l'homme est un chasseur, armé de sa carabine. Pas n'importe quel chasseur. C'est le Métis. L'Ours l'a reconnu. Et le Métis sait braquer, viser et tirer dans moins de temps que ne peut frapper Revenant-Noir. L'homme et la bête restent immobiles, chacun guettant le premier mouvement de l'autre. L'Ours pourrait grogner pour effrayer l'adversaire, et du même coup prévenir les siens du danger ; mais ce langage risque de réveiller de mauvais réflexes chez un chasseur enfargé d'un petit. Pas de geste inconsidéré, l'Ours, pas de risques inutiles, pèse chacun de tes mouvements, doucement, de toute manière t'as pas cinquante-six choix, l'homme non plus d'ailleurs, le vent s'est élevé et tourbillonne à ne plus lire sa direction. Plus de temps à perdre, tout le clan va y passer, les oursons doivent s'affoler déjà et les femelles finiront par perdre la tête. Retourne-toi sur toi-même, t'énerve pas, lentement, manière de dire à l'homme que le combat n'aura pas lieu, que l'heure est trop grave et l'enjeu trop grand pour la race, pour la forêt. Remettons ça à plus tard. Ne calcule plus, mon vieux, ne réfléchis plus, recroqueville ton corps, prends ton élan et d'un bond sors de son champ de vision et de la portée de son fusil.

L'homme, qui n'a pas bougé, en siffle d'admiration. Ses doigts se desserrent et laissent glisser le canon de son fusil le long de ses jambes. Puis il se tourne vers l'enfant qui n'a pas bougé non plus mais est vert comme une pomme de juillet.

— Tu viens de rencontrer le roi des ours. Et ça c'est tout comme dire le roi des bois. Il s'appelle Revenant-Noir. Souviens-toi de lui. Pas beaucoup de chasseurs l'auront jamais vu de si proche.

Revenant-Noir a rejoint sa tribu qui commençait à trépider et à se demander si le chef n'allait jamais revenir. Le temps pour lui n'a aucune mesure, sauf à l'heure de la faim et de la peur. Devant le danger, la bête aussi sent le temps s'arrêter, s'enrouler autour de son corps et s'en venir se blottir au creux de ses reins. Les instants pour l'ours se comptent en spasmes d'estomac et en palpitations du cœur. Bon-bong, bon-bong... les battements contre les côtes avertissent l'ours d'une menace toute proche et lui injecte sous le poil une dose supplémentaire d'adrénaline. Revenant-Noir est revenu à temps, on se préparait chez lui à faire des bêtises.

La pire bêtise, aller donner dans le champ des chasseurs... Ne vous fiez ni à vos oreilles ni à votre museau, aujourd'hui, les petits : l'incendie a brouillé les règles. Le jour où l'ours doit sa peau à ses yeux, le chambardement est total et ses instincts sont à refaire. Réorientez-vous. Rebroussez chemin vers la Rivière.

... Quoi ! par où c'est qu'on prend c'te fois-ci ? Mais on vient pas de là ? On vient-i' pas de là ? répète l'Oursagénaire qui ne va pas, même au cœur d'un feu de forêt, renoncer à radoter, comme c'est le droit le plus sacré de tout être qui a passé l'âge.

Ozite, à près de cent ans, peut dire qu'elle a passé l'âge des politesses et des conventions qui commandent de ramasser ses idées dans une phrase et de débiter l'essentiel de sa pensée du premier coup, pour mieux obliger les oreilles des autres. Passé l'âge de faire des manières. L'Oursagénaire, à vingt-six ans, a les mêmes droits. Car allez dénicher des tas d'ours de vingt-six ans ! Vingt-six soleils, trois cent douze lunes ! L'Oursagénaire, comme Ozite, bénéficie de certains droits. À commencer par celui de radoter.

... Vous allez pas me dire qu'on va retourner d'où c'est qu'on vient !

Eh oui, la vieille, si fait ! Mais par un autre chemin. Revenant-Noir l'a ainsi décidé. Et Revenant-Noir sait ce qu'il fait. Il a beau être votre fils...

... Mon fils, ça ? Vous en êtes sûrs ? Je l'ai pas eu plutôt de l'un de mes rejetons ? Ça le ferait mon petit-fils, si je sais encore compter et si ma mémoire est bonne. Mais la mémoire d'un ours à vingt-six ans... ça refoule, comme la peau. Dites-lui donc de venir me dire de qui c'est qu'il est ersoudu, c'ti-là.

Mais Revenant-Noir, sauf votre respect, dame-mère, ne juge pas l'heure propice au défrichage de parenté. Le voilà qui gronde, se retourne, et refait la file serrée des siens en vue d'une nou-velle migration... Visez la Rivière, museau au ras du sol, prenez les buttes de biais, souvenez-vous de les grimper plutôt que de les dévaler, sautez vite mais sans vous affoler, ne pensez à rien... Les ours obéissent et ne pensent à rien. Et de leurs narines meurtries cherchent l'odeur salvatrice de l'eau.

L'eau ! l'eau ! pas une bête de la forêt qui ne rêve ce jour-là d'être poisson : le renard se voit déjà anguille ; le loup, requin ; le chevreuil, poisson-volant ; le lièvre, truite ; et crabe ou cre-vette, le porc-épic. Pauvre porc-épic ! ses pics pour une fois ne lui serviront de rien. Il n'a aucune chance dans la course et sent bien, en voyant les lièvres et les faons voler au-dessus de sa tête, qu'il sera la première victime. Il continue pourtant à s'essouffler, à poser une patte devant l'autre, et à hérisser ses poils absurdes dans la di-rection du vent embrasé qui n'en fait qu'une bou-chée.

Le sous-bois tout entier est en émoi et s'en-fonce sans réfléchir dans la forêt profonde, ou s'égaille de tous côtés au risque de sortir du bois. On piaille, braille, brame, clame, glapit, couine dans une course folle et désordonnée, les cerfs enjambant les coyotes, les lièvres filant entre les pattes du loup. Plus de lois, plus de règles, plus de respect de rien. Sauve qui peut ! et chanceux qui peut sauver aussi les siens. Revenant-Noir entraîne son clan dans la débandade générale. Un instant, il vole même aux côtés d'un chevreuil aux bois énormes qui lui jette un œil conciliant et presque moqueur. Aujourd'hui, compère Ours, le salut est dans les pattes.

Les pattes, les ouïes et les ailes. Après les poissons, la chance favorise les oiseaux. Pas les insectes, papillons ou petits volatiles des bois ; les grands oiseaux de proie. Et encore, doivent-ils voler vite et haut. Pas le moment de jouer avec le feu qui grillera le bec du corbeau trop empressé à tirer profit du fléau. Au sol et dans les airs, toute la forêt s'ébranle et cherche refuge partout. Partout, hormis chez les hommes.

Là-dessus Revenant-Noir est des plus clairs et catégoriques : à l'heure des cataclysmes naturels, ne craignez ni les cornes, ni les griffes, ni les dents. Ne vous jetez pas dans le feu par peur du loup. Mais tenez-vous loin des flèches et des fusils.

On vient le prévenir qu'on a semé déjà cinq ou six petits dans la fuite et que les mères s'obstinent à rebrousser chemin. Puis il y a la vieille qui parle de syncope et marmonne dans son langage qu'elle aime autant crever de sa belle crève que de poursuivre à cette allure insensée ; que c'est pas une vie ; que cette course n'est plus de son âge ; qu'un incendie finit toujours par se dévorer la queue comme un scorpion ; qu'elle en a vu d'autres ; et qu'elle en a assez, voilà, assez ! Revenant-Noir grogne sous cape et renvoie son adjudant poilu rassembler les femelles et avertir sa mère que la Rivière est tout droit devant, à moins de vingt ou trente bonds. Puis soudain inquiet, il se demande si l'Oursagénaire saura encore nager.

Arrêtez ! Revenant-Noir fait un signe à sa façon et met le clan au pas. Rampez, ventre au sol, comme la belette et le lynx. Silence absolu. On est en territoire interdit. Les ours lèvent la tête et leurs yeux myopes aperçoivent l'ombre d'une grosse cabane en bois. Mais déjà leurs narines ont frémi et leurs oreilles ont capté le clapotis de l'eau qui lèche les pierres et les pilotis. La Rivière ! et le pont couvert.

Ohhh !...

Plusieurs oursons du printemps, les rescapés de la course, se pâment et s'émerveillent. Quelle charpente ! et ce qu'on doit s'y sentir à l'abri ! Et sans attendre le signal, oubliant le danger et la consigne, ils s'élancent vers cette caverne royale comme dans un château fort. Les mères suivent. Puis les mâles. Revenant-Noir est débordé. Il n'a plus le choix. La discipline a lâché. De toute façon, l'instinct des oursons fut sans doute le plus sûr. Pourvu seulement que les chasseurs n'attendent pas les bêtes à la sortie du tunnel. Puis Revenant-Noir se ravise. La sortie, pourquoi la sortie ? pourquoi ne pas rester blottis là-dedans, dans le pont fermé, comme dans un abri d'hiver, et attendre que le vent tourne ?

... Mais non, l'aïeule, pas en dessous, rentrez dedans, dans le pont couvert.

... Hey, hey ! vous allez me lâcher à la fin et me laisser tranquille ! C'est pas une vie, c'te branle-bas perpétuel. Laissez-moi donc me rafraîchir un petit brin. Et pis poussez pas, hein ! Avez-vous déjà vu pareil cirque de fous !

On n'avait jamais vu ça, elle avait raison, l'Oursagénaire, jamais vu des douzaines d'espèces animales, qui hier encore ne pouvaient se sentir, aussi disparates et de souches aussi éloignées que le renard et le loup-cervier, s'engouffrer pêle-mêle dans le même tunnel du pont couvert. Un pont de bois, surmonté d'un toit pour le protéger contre les gelées et les amoncellements de neige. Les hommes savent ce qu'ils font. Mais aujourd'hui, c'est le tour des autres. On ne se protège pas des neiges, mais des flammes, et des hommes. Tous là, les félins, les cervidés, les carnassiers, les rongeurs, les herbivores, les longues oreilles, les queues coupées, les bas sur pattes, les pelés, les panachés et les ours. Côte à côte, qui se frôlent, se hument et s'épient. Pas le moment de se lancer le mauvais œil. Car juste en dehors, à portée de fusil, les chasseurs manient un immense boyau qui crache l'eau de la rivière sur l'incendie.

Revenant-Noir sent une femelle qui cherche à le bousculer pour se faire un chemin. Elle est elle-même poussée par l'un de ses vieux beaux qui a dû flairer quelque chose d'insolite. Revenant-Noir oscille de la tête et reconnaît dans la lumière de l'entrée le panache à quatorze pointes qui se découpe contre le gris du ciel.

L'Orignal, le roi de la forêt !

Il avance en dansant, écartant sur son passage fouines, biches, marmottes et blaireaux qui se tassent contre les parois du pont. Ses sabots sonnent contre le plancher et ses bois s'accrochent aux ogives de la voûte. Revenant-Noir sent les yeux de tous les siens braqués sur lui. Est-ce l'heure et le lieu d'un affrontement ? Seront-ils assez fous l'un et l'autre pour ne pas respecter la trêve tacite et risquer d'attirer l'attention des hommes sur leur double clan ? De loin les regards se croisent, les museaux se reniflent, et la tête de l'Orignal déjà s'abaisse en pointant dangereusement vers la poitrine de l'Ours dressé sur ses pattes, debout comme un géant antique prêt à balayer de ses griffes... mais il fige, en même temps que l'Orignal qui a tendu l'oreille. Dehors des coups répétés s'acharnent sur l'arche d'entrée. Ça sent l'homme. Ça sent même le Zéphire Léger, songe l'Ours qui l'a aperçu plusieurs fois de sa cachette au creux des broussailles sans que Zéphire n'en sache jamais rien... Il n'aurait pas l'intention d'abattre le pont, jamais je croirai ! Du calme, ne bougez pas, que chacun fasse le mort. Des voix se mêlent à celle de Zéphire, Revenant-Noir reconnaît les godêche ! et sacordjé ! de Loup-Joseph, et l'odeur de Grand-Galop. Mieux vaut se tenir coi. Même l'Orignal admet que ce n'est pas le moment de vider les différends domestiques ou les querelles de races. Pas l'heure de chercher à établir sa suprématie. De toute façon, aucun, de l'Orignal ou de l'Ours, ne songerait à se réclamer du pont couvert. C'est vraiment là un abri de fortune, sauf pour les chauves-souris. Revenant-Noir voit l'élan s'en retourner d'où il est venu, repassant sous le jet de lumière qui filtre entre les planches de la voûte et lui zèbre le dos.

Quand se fut éteint le dernier juron du dernier gueulard pompier, loin au-delà de la branche sud de la Rivière, Revenant-Noir a craché, grondé et bougé la tête de droite à gauche à droite pour bien laisser entendre aux siens que le gros du danger de l'homme était passé et qu'il leur restait celui de l'incendie. Et les ours, comme toutes les autres espèces des bois, devraient se résigner à lui laisser encore bien du poil et des plumes avant l'éclatement de l'orage.

Si seulement le ciel n'était pas si bas et l'horizon si proche... Et tous les animaux de la forêt, en fuyant devant les flammes, rêvent d'atteindre le bout du monde avant la nuit.

III

Ce fut un terrible brasier qui dévora jusqu'aux souches et squelettes des troncs laissés par l'incendie précédent, une génération d'arbres plus tôt. Il filait sur les ailes du vent, plus rapide que le vol du corbeau, réduisant en cendres bosquets, broussailles et forêt en bois debout. Les clairières mêmes n'avaient aucune chance et flambaient comme du solide, alors qu'elles n'étaient que du vent. L'air du temps était embrasé. Et quand l'air brûle, quel espoir reste-t-il aux terres en friche, voire aux oiseaux ou aux moustiques ? Quel filet d'espoir aux animaux des bois ?

Les chasseurs des branches sud et est de la Rivière, qui ne sont ennemis qu'en saison et tout le reste du temps s'échangent trois semaines de tracteur contre trois jours de taureau de reproduction, ou s'invitent mutuellement à leurs danses du samedi soir au son des guitares et violons de ceux de la branche sud-est appelée Butte-aux-Oies, fraternisaient même en territoire interdit, ce que chacun appelle son territoire interdit à tout autre, fraternisaient en première ligne de combat, sur le front de l'incendie. Chaque village tenait son bout du long boyau qui crachait du matin au soir des tonnes d'eau puisée à même la Rivière qu'on s'était disputée encore la veille. Commençons par le feu, on se partagera la Rivière demain.

— De toute façon, que ricana Grand-Galop, ça ira à belle heure avant qu'elle nous refaisit de la truite, celle-là.

Quelqu'un d'autre dit que le pêcheur qui aurait la chance d'attraper même un saumon rose, n'aurait pas à se donner le trouble de le jeter au fond de la poêle : il serait déjà cuit. Le commentaire qui suivit renchérit dans le même sens, ajoutant que personne n'aurait besoin de faire grâler sa faine et ses noisettes l'hiver qui vient, ni prendre la peine de nourrir d'écopeaux son feu de cheminée. On finit même par se mettre d'accord sur un point : à savoir que l'été en cours fournirait aux cinq-six branches de la même Rivière assez de feu pour nourrir, sécher et garder au chaud toute la population du haut des terres durant tout un hiver. Moyennant qu'il restât encore une population en haut des terres à se partager cet hiver-là.

Et l'on se remit à combattre l'incendie qui faisait rage sur une étendue qui englobait les terres à bois d'une quinzaine de familles du pays et de milliers d'espèces animales, en comptant les insectes et les oiseaux. Mais les chasseurs, boyau en mains et mouchoir sur le nez, ne songeaient ni aux oiseaux ni aux insectes. Et sans articuler une syllabe, sans produire un son pour se décrasser le gosier, chacun tourna la tête du côté des cordes de bois d'où sortait invariablement la plus large tribu d'ours noirs.

D'aucuns diront que les ours n'ont pas l'instinct grégaire et se déplacent rarement en tribu. Ceux-là ont aperçu une fois dans leur vie un mâle solitaire au sommet d'une colline en train de prospecter des broussailles de cenelliers. Un ours qui explore des terres nouvelles n'entraîne pas sa famille dans l'aventure. Il ne crie pas à la vieille ancêtre Oursagénaire de venir voir ce qu'il a trouvé chaque fois qu'il déniche une plantée de framboises. C'est discret, un ours, et plutôt taciturne. De tempérament flegmatique, de caractère égal, d'un naturel plus proche de la colombe que du faucon. Encore là, tous ceux qui en ont parlé l'ont vu au plus clair d'une clairière, seul, ou ont aperçu une femelle affligée de trois petits qui n'ont pas l'air de se rendre compte.

Les chasseurs, rendus au soir du huitième jour, avaient arrêté l'incendie au bord de la tranchée creusée entre les branches sud et sud-est de la Rivière, à peu près au niveau de la terre à bois de Zéphire Léger, à moins de cent pieds du pont couvert.

— Je vous revaudrai ça, les gars. Merci pour le pont.

Il avait raison de penser au pont. Les ponts couverts sont de plus en plus rares et quasiment tous classés. Heureusement pour les gens du pays qu'un pont n'est pas de taille à passer la porte d'un musée, et qu'on doit se contenter de le déclarer monument historique. Zéphire avait donc eu soin, durant le plus fort de l'incendie, de

41

déclouer sa plaque commémorative, en cas, car la plaque laissait entendre, sans le dire expressément, que le pont traversait sa terre. Pour les enfants de ses enfants, qu'il s'était dit. Qu'on sache bien chez sa descendance que le plus long pont couvert jeté au-dessus du plus sauvage et pourtant plus grandiose paysage au cœur de la forêt lézardée d'une rivière à cinq branches, sans compter ses ruisseaux et ses criques, se dressait sur la terre qui avait appartenu aux Léger — prononcer Légère — depuis six-sept générations. Depuis le retour de la Déportation, pour tout dire. Ce qui n'est pas peu dire dans la bouche d'un Léger dont l'ancêtre s'était sauvé dans les bois lors du Grand Dérangement et dont la lignée ne connut de la Déportation qu'une brassée de contes et légendes à dormir debout que des cousins en avaient rapportés.

Donc merci pour le pont couvert.

La vie est trop courte pour raconter étape par étape ce terrible feu de forêt qui n'épargna rien, entre les cinq branches de la Rivière, qu'un pont couvert, un trécarré et les habitations des hommes. Qui laissa les terres à bois si dévastées, calcinées et couvertes de suie, que le ciel devait en rester gris une bonne partie de l'automne. Triste spectacle pour les chasseurs qui vivaient le nez collé au canon d'un fusil tout le mois d'octobre et une partie du mois de mai, et les yeux braqués sur l'orée du bois le reste du temps. Spectacle désolant pour les chasseurs de gros gibier, mais surtout pour le gibier lui-même, gros ou petit. En deux générations d'orignaux, trois de loups et de castors, six ou sept de lièvres, loutres, belettes, fouines ou marmottes, les animaux de la forêt n'avaient pas vu pareille dévastation. Et les survivants traînaient entre les souches et troncs calcinés leurs ridicules squelettes fourrés. Chacun se répétait le proverbe : la faim chasse le loup du bois, en estimant exactement ses chances, qui étaient minces. Mourir de faim ou d'une balle de carabine, après tout... et le petit gibier prenait de gros risques, comptant sur sa maigreur pour passer inaperçu. C'était tenter le sort et provoquer Loup-Joseph, premier braconnier de nuit, qui se spécialisait en plus dans la chasse hors saison et en territoire interdit — quoique là-dessus les chasseurs en auraient eu long à dire — et qui, s'étant vu saisir son trois-cent-trois, avait dû se rabattre sur un vingt-deux et par conséquent sur le petit gibier. Et bien des marmottes, fouines, castors, loutres, lièvres et lapins sauvages ne vécurent pas le temps de mettre en garde la prochaine génération de fouineurs, rongeurs et galopins des bois.

Quant aux ours... Ozite prétendait que l'ours était l'héritage personnel de Simon le Métis, son protégé, son presque fils, par droit de naissance, droit acquis, droit tout court.

— La vie est déjà assez mal bâtie comme ça, et assez courte, merci, mon Dieu...

* * *

Plus la vie est courte, plus Ozite met d'entrain à la vivre. Et sa vie raccourcit de jour en jour. Ses pas se font de plus en plus rapprochés à mesure qu'elle grimpe vers ses cent ans. Elle se dit qu'elle finira par piétiner sur place et user le même carreau de sa cuisine. Mais c'est pas une raison, qu'elle se rebiffe, pas une raison parce qu'une personne va sur ses cent ans pour sauter un printemps de grands ménages ni un automne de confitures. Faut pas qu'on la prenne pour une vieille ; ça suffit d'être une personne âgée.

— Va me qu'ri' le Métis, qu'elle glapit du côté de la cour où Titoume , le Tit-Jean à Marguerite, fend le bois pour l'hiver. Va y dire de me ragorner mes pommes du mois d'août.

Titoume rentre, déclenche la porte de la remise et traîne au milieu du plancher de la cuisine un plein sac de pommes jaunes qui commencent à dégager une odeur de cidre. Ozite secoue sa crinière en toile d'araignée, se tape le front et gazouille :

— T'es aussi bien d'avertir tout de suite le Simon de venir t'aider à emporter le chaudron au trécarré, qu'elle fait.

Elle n'a pas encore épluché la première pomme, qu'elle sait déjà que la confiture aboutira au trécarré, inondant de son miel le tas d'ordures des villages avoisinants, comme chaque année. Ozite est fidèle à ses rites.

Titoume regarde couler le sucre entre les doigts de la vieille qui avec les années en est venue à mesurer au pif — faut pas se fier à des yeux de cent ans — et l'eau lui monte à la bouche. Il rêve encore une fois de tartiner son pain à grandes laizes avant la catastrophe. Chaque année, l'enfant cherche à détecter à l'odeur, un peu à la couleur du sirop, l'instant critique où la confiture atteindra le point de cuisson avant de prendre au fond de la casserole. Et chaque année, il rate. Le passage est trop rapide entre le cuit et le brûlé. Il finira pourtant par tomber juste, l'un de ces automnes. Mais c'est la course contre le temps. Ozite vieillit. Un bon matin, la centenaire ne viendra pas le sourlinguer de son lit à coups de : «Secoue-moi ces puces-là de ta paillasse, flanc-mou !» Ce jour-là, Titoume à Marguerite sera totalement et définitivement orphelin. En attendant il profite, et s'instruit, et pousse de toutes ses forces pour devenir un homme, avant que... Si Ozite peut durer encore trois ans, il en aura quinze. À quinze ans, son ami le Métis avait atteint ses six pieds.

Catastrophe ! encore brûlée. Qu'on aille lui chercher le Métis. Ça sert à rien. C'est la faute au chaudron. Ç'a le fond trop mince, c'te saloperie-là. Ah ! si Ozite avait pu conserver sa bonne vieille batterie de cuisine d'autrefois. C'est point la marmite en terre cuite de sa grand-mère Euphrasie qui eût laissé brûler la confiture. Puis Ozite se souvient qu'Euphrasie avait mis dix-huit enfants au monde et n'avait pas dû, par conséquent, consacrer entre ses couches grand temps à la confiture. Ça ne change rien au fait que les solides coquemarts de sur l'empremier valaient mieux que ces chétives inventions à café en aluminium.

Titoume, pour se consoler, trempe le doigt dans le sirop et le porte aussitôt à sa bouche. Ozite, qui à deux pas ne distingue pas le chat de la bouilloire, l'a vu.

— Grand écervelé ! En plusse des pommes, v'là une main de brûlée.

Et attrapant le bras de l'enfant, elle l'étire jusqu'à l'évier.

— Faut-i' ben aller sur ses onze ans et pas avoir plusse d'alément.

Il ne va pas sur ses onze ans, il les a. Il en a même douze depuis un mois ou deux. Même qu'Ozite lui a fait un gâteau d'anniversaire picoté de huit chandelles. Pas brûlé pour une fois, mais pas cuit. Elle a appelé ça un gâteau-éponge.

Dès qu'il a franchi le clayon de la cour, Titoume arrache le bandage de sa main et découvre ses doigts. Les autres. Le brûlé, Ozite l'a laissé à l'air libre. L'air est bon pour les brûlures. L'enfant porte deux doigts à ses lèvres et siffle. En code. Un court, deux longs, un court, deux longs. Il est déjà à trois champs du Ruisseau-de-la-Rivière, appelé aussi la Crique, quand il entend bouger dans la brousse. Un instant il hésite. On lui a bien appris à ne pas prendre chaque bouquet de feuilles qui frémit au vent pour la queue d'un chat-cervier ; mais pas non plus le frémissement du chat-cervier pour du vent dans les feuilles. On lui a enseigné l'audace, l'astuce et la prudence dans les bois. Il s'arrête. Et s'arc-boute. Mais pas assez vite. Il est renversé. Il ouvre la bouche pour hurler... et c'est un cri de joie qui sort.

— Grand fou de Métis !

Le Métis s'ébroue.

— La prochaine fois, garde les jambes écartées.

Titoume s'époussette pour se remettre de sa peur, puis se lance dans une série de questions sur les attaques du coyote, du chat sauvage, de l'ours, mais le Métis le coupe. Pas l'ours. L'ours n'attaque pas. Il se défendra, pas plus, et seulement s'il est vraiment coincé, mal pris. Souviens-toi de Revenant-Noir.

— Et pis point contre un enfant.

Tit-Jean à Margot dit Titoume bombe le torse... puis laisse tomber. Avec le Métis, ça sert à rien de faire semblant.

— Ç'a encore pris au fond.

Le Métis fait le surpris. Pour le jeu.

— Tu me dis pas ! Asteur ça ira au temps des citrouilles.

Mais Tit-Jean sait bien que le temps n'est pas en train d'arranger les choses et ne travaille pas pour lui. Autant s'en aller copains copinant chez Ozite pour la débarrasser une fois de plus de la cochonnerie tournée en sucre.

— Empoignez chacun votre bord et prenez bien garde de point vous la renverser sur les chevilles, elle est encore bouillante.

Bouillante et appétissante comme de la pisse de vache, songe Simon le Métis. Cette année, trop cuite ; l'année dernière, trop de sucre ; l'année d'avant, trop de sel... malaisé de distinguer le sac de sel du sac de sucre à cent ans. Mais la pire, ç'avait été l'année des clous dans la confiture de citrouilles. Simon en grimace encore, après cinq ans. Parce que cette saison-là, il avait cru malgré tout l'expérience réussie : bonne dose de sucre, bonne durée de cuisson à la bonne température, bon arôme de sirop visqueux bien doré au bon feu de bois. Dommage pour les clous de charpente au lieu des clous de girofle.

Ozite leur crie de son perron :

— Point nécessaire de rapporter le vaisseau, il a le fond percé.

Hélas ! oui. Percé comme une passoire. Le Métis hausse l'épaule et cherche à raccourcir son bras qui a toute une main de trop. Inutile : le vaisseau tangue et le sirop fait de la houle. Titoume pense que c'est se donner bien du mal pour rien, qu'on n'aurait pas besoin de se rendre au trécarré, mais qu'on pourrait bien verser la confiture juste là, dans le verger du Zéphire, rendre les pommes à leurs pommiers et ses déchets à la nature. Le grand Simon bougonne :

— Et nous réveiller demain matin avec toutes les marmottes du bois en train de dire les grâces sous nos châssis ?

Tit-Jean à Margot ricane :

— La marmotte qui mangera ça dira pas les grâces et se lèchera pas les babines.

Le Métis songe que l'enfant a encore beaucoup à apprendre sur les mœurs des animaux qui sont moins regardants que les hommes et ont le cœur plus solide. Le cœur à la bonne place. La confiture a beau brûler, prendre au fond, tourner en sucre, elle ne dégoûtera pas les bêtes des bois.

— La forêt, commence le Métis...

L'ours les suit depuis un gros quart d'heure. Il les a repérés au tournant de la source asséchée par l'incendie. C'est le Métis qui a raison, les animaux ne sont pas regardants. Son museau a flairé le sirop de pommes du mois d'août, sans se soucier de son degré de cuisson. Il dandine sa large croupe entre les chicots suintant la suie, et lèche les pistes d'hommes imprégnées de confiture. Et c'est l'arôme de confiture qui l'emporte, couvrant l'odeur de l'homme.

Le Métis ralentit sans s'arrêter.

— Grouille pas, qu'il dit à l'enfant. Fais pas mine de rien. Il nous suit.

Titoume sait d'instinct qu'il ne doit pas poser de questions, mais faire ce qu'on lui dit. Il continue d'avancer au rythme de son maître et mentor, mais avec tout un régiment de fourmis dans les jambes. «Il», c'est l'ours, il le devine sans avoir besoin de se retourner. Il ne l'entend pas, ne le voit pas, il le sent par son maître interposé.

Et l'homme et l'enfant, talonnés par un ours de plus d'un quart de tonne, poursuivent leur route jusqu'au trécarré, au cœur des bois.

48

IV

La nuit fut longue au lendemain de l'incendie. Les animaux sauvages craignaient de n'en plus jamais sortir. Le ciel resta noir de fumée durant toute la fin de l'été. On sait que le soleil n'est pas un habitué des bois, mais tout de même ! La forêt était devenue le fief de la chouette et des chauves-souris.

Revenant-Noir se souvient. Il avance la tête basse dans son ancien sentier, cherchant à reconnaître son chemin jadis jalonné de bouleaux blancs qui composaient la majestueuse colonnade de son jardin. Son museau meurtri fouine dans la suie, hume et flaire un filet d'eau qui reflue vers sa source. Rien. Plus de broussailles picotées de baies sauvages ; plus de mousse sur la face nord des troncs ; plus de glands pendus aux branches des chênes calcinés. Rien que des ombres de squelettes aux bras décharnés. La forêt au lendemain de l'incendie est un musée d'épouvantails.

La vie est précaire dans les bois, comme partout ailleurs. Un peu trop, au dire de Revenant-Noir, un peu plus qu'ailleurs. Plus qu'au creux de l'océan, en tout cas, où l'on vit comme des poissons dans l'eau. Et où l'on ne connaîtra jamais les feux ni la sécheresse, ni même les inondations. Les ours ont la vie dure, c'est pas sûr que ce soit juste. Il n'y a qu'en forêt qu'un incendie ravage le monde entier : habitat et habitants, vivres, réserves, frontières, territoires, paysages et pays ! C'est pas sûr que les hôtes de la forêt soient traités justement.

L'Ours fait des cercles de la tête et hume le vent, pour voir. Toujours il a cherché à voir avec son nez. Mais le feu lui a confisqué même son flair, sa principale défense. Ce n'est point sur sa vue que peut compter Revenant-Noir pour dénicher sous bois petits fruits et petites bêtes. Pour ce qu'il en reste. Tout le gibier a été décimé. Et les survivants font peine à voir. Un ours a beau sentir son poil lui pousser à même les os, il se détourne du lièvre ou de la belette encore plus affligés que lui. Toute la forêt en cette fin d'été est en deuil de quelqu'un.

Il tressaille soudain du museau à la queue. Quelque chose d'insolite vient d'entrer sans prévenir dans son champ de vision. Effrontément. L'Ours redresse la tête, tend l'oreille et aspire à grandes goulées. Ni un homme ni un chevreuil, il les eût entendus. Trop gros pour un renard, trop sombre pour un loup... Ne pas bouger surtout, Revenant-Noir, le laisser approcher.

Grands dieux ! le Solitaire.

C'est lui, son rival et ennemi de l'autre printemps, qu'il a vaincu en combat singulier. Le voilà revenu et qui se tient droit, à six arbres de son museau. Il doit savoir, le beau sire, que Reve-

50

nant-Noir a les narines bourrées de suie et ne peut plus le sentir. Doit se dire aussi que les bouleaux méconnaissables ne délimitent plus les territoires. C'est pour ça qu'il ose, le crâneur. Fallait s'y attendre, Revenant-Noir. Mais s'en venir si près ? et si gras et bien portant ? Où cet effronté a-t-il pu trouver de quoi refaire sa graisse ? Dans toute la forêt, aucun survivant du cataclysme n'a encore affiché du gras entre le poil et les os.

... Où as-tu pris ça, vaurien ?

Le grand Solitaire porte la tête haute, et se donne un air faraud, farouche et fanfaron. Il abaisse les yeux sur son adversaire de la belle saison et ricane un grondement qui blesse l'ouïe de Revenant-Noir. Chacun son jour, compère, chacun son heure de gloire. Il était seul après le combat des amours, vaincu, privé de femelle joyeuse, de tribu fidèle et de portée d'oursons sortis de lui. Seul, il a cédé la place et s'est enfui. Loin. Hors de la région des trembles et des bouleaux. Mais également hors d'atteinte des flammes. Seul à l'heure du danger. Sans femelle et petits à sa charge ; sans jeunes fringants accrochés à ses flancs ; sans vieux empotés, éclopés et clopeux pour gêner sa fuite. Splendide liberté, merveilleuse indépendance du célibataire. Au temps des feux d'été, Revenant-Noir, un Solitaire se console de sa défaite et de sa honte du printemps.

Les deux adversaires se toisent et se regrichent le poil. Chacun ramasse ses pattes en un faisceau serré, prêt à partir d'un bond et foncer sur l'autre.

... T'as point sauvé ton clan, Revenant-Noir, tu l'as tout juste sorti de la braise, à moitié cuit. Femelles décharnées et nourrissons décrépits, vieux avant d'avoir fait leur poil. Dans un pareil état, plus personne n'en voudra, pas même le chasseur ; et tes ours seront réduits à crever de vieillesse.

... Plus personne nous chassera ?

... Plus personne.

... Pas même le Métis ?

Au souvenir du Métis, les deux ours arrondissent le dos et s'interrogent de l'œil et du museau. À la tombée des feuilles rouges des érables et jaunes des trembles, le Métis surgira comme d'accoutume, à l'improviste, en dehors des sentiers battus par une douzaine de chasseurs respectueux des lois. Mais le Métis ne s'est jamais soumis à une loi trop petite pour lui. Rien ne le détournera de l'ours qu'il chasse depuis qu'il est au monde, depuis une douzaine de saisons avec encore davantage de rage et de ruse, comme s'il avait trouvé chez l'ours, l'ours seul, un combat digne de lui.

Soudain, Revenant-Noir grogne d'un grognement interrogatif : la tombée des feuilles rouges et jaunes ? Comment les ours ont-ils pu oublier si tôt que cette année l'automne ne viendra pas en forêt ? Ou que s'il venait, ni le Solitaire ni Revenant-Noir ne sauraient le détecter ? Aucune chance pour l'ours de sentir approcher la saison à l'épaisseur de l'écorce, la couleur des branchages, la tombée des feuilles. L'hiver, on le pressentira au froid et à la blancheur du sol. Mais l'automne et la chasse... Il reste aux ours la ruse pour arracher leur secret aux chasseurs.

... Arracher son secret au Métis ?

... Le Métis, c'est moins sûr. Il jouera au plus fin. À l'heure où l'on se parle, il sait déjà. Il connaît déjà la situation des ours. Puis il va sûrement essayer de les brouiller avec les vents, les lunes et le serein. Faut pas se distraire.

52

Combien de temps a duré cette trêve des frères ennemis ? La chouette seule aurait pu le dire du haut de son moignon de chêne dégarni. Car c'est elle qui vit approcher les quatre ou cinq femelles éplorées qui avaient sacrifié gros au feu du mois précédent. Elles erraient en faisant revoler la suie, fouinant et grondant pour ramener à la vie leurs petits disparus. Puis la chouette les vit s'arrêter, flairer l'air du temps, et d'instinct s'approcher des deux mâles qui seuls pouvaient réparer l'injustice de la nature.

Revenant-Noir, en les repérant, veut les rejoindre, mais reste cloué de stupeur en les voyant se diriger vers le Solitaire, son rival. Elles sont là, les endeuillées du feu, à tournoyer autour de cet abruti, comme des femelles en chaleur... en chaleur, Revenant-Noir, c'est bien ça, elles sont en chaleur. À l'approche de l'automne, les dévergondées ! A-t-on jamais vu ça ! Il en crache et gratte le sol de ses pattes d'en avant... Pourtant tu devrais bien savoir, l'Ours, toi qui es si savant dans tes bois, qu'une mère-ourse qui a perdu son petit cherche sitôt à en faire un autre, c'est la loi de la forêt.

Revenant-Noir pousse un grognement qui se répète d'arbre en arbre et file sur les vagues de la Rivière, mais n'atteint pas la demi-douzaine d'oursonnes qui ont suivi le Solitaire, hors du champ de vision, d'entendement et du museau meurtri de leur ancien maître.

De tous les ruminants, herbivores et carnivores de la forêt, le Solitaire était celui qui avait le moins perdu dans l'incendie et la migration qui avait suivi. Parce qu'il était celui qui avait le moins à perdre, le banni. Les flammes ne pouvaient lui prendre que la peau qu'il avait réussi, dans sa totale liberté de mouvements, à éloigner du foyer d'incendie et à cacher dans un terrain sûr, à une bonne trotte de la Butte-aux-Oies, de l'Anse-au-Trésor et du pont couvert. Et seul il avait conservé intactes les papilles de son museau.

Voilà comment, le danger passé, le grand Solitaire avait réussi à humer à travers la suie, la cendre et des filets de fumée, l'odeur de confiture de pommes de la vieille Ozite. Voilà comment il avait pu lécher l'épais sirop dans les pistes mêmes de l'homme et de l'enfant qui l'avaient mené tout droit au trécarré, au deuxième quartier de lune du mois d'août.

Il pouvait bien se montrer gras et repu à la face de son ennemi, le vaurien ! Si Revenant-Noir avait su ! S'il n'avait pas eu les nerfs olfactifs avariés, il eût été le premier à flairer le pot aux roses, bien avant ce vieux bougre qui s'en venait courtiser sous son nez une demi-douzaine de femelles en rut. En tâtant du museau l'épaisseur des flancs du Solitaire et la rondeur de sa croupe, les garces avaient pressenti de quel côté penchait l'avenir et découvert, en suivant ses traces, le pays où coulaient le lait et le miel.

Le trécarré !

Revenant-Noir a faim. Tous les siens ont faim. Faim. Faim. La forêt est vide, rasée, elle a faim. Depuis toute une lune qu'on se nourrit de racines brûlées. Il marche, marche même sur son orgueil qui jadis faisait l'envie des plus grands mammifères de ses bois. L'orgueil de l'ours est aussi proverbial que sa mémoire et que sa ruse. Mais le feu de l'été a tout réduit en cendres.

54

Il marche en mettant ses pas dans les pistes du Solitaire, le vaincu, le banni... Comment un chef de la trempe et de la force de Revenant-Noir a-t-il pu en arriver là ?... Il a faim, faim. Sa tribu a faim. Toute la forêt a faim. Hormis le Solitaire... Revenant-Noir marche la tête basse, les naseaux aspirant chaque brindille écrasée sous la patte de son ennemi.

L'ennemi s'arrête. Attend les femelles qui le suivent en gonflant les mamelles. Revenant-Noir ne les voit pas mais les sent. Sent le lait, le désir du lait, le désir des femelles qui remplit l'air de frissons et d'un âcre parfum. L'Ours rassemble ses énergies, se hâte... Ne perds pas une seconde, mon vieux, ne te laisse pas distancer, suis ton rival, ton ennemi, il sera toujours temps après de régler tes comptes avec l'effronté, mais d'abord rends-toi au trécarré, mets tes pas dans les siens, laisse-le te guider au lieu du festin...

... Le trécarré ?

Il a dit le trécarré ? Donc de l'autre côté des cordes de bois, au sud-est de la Rivière. Ah-ha ! c'était donc ça ! les hommes ont creusé là leur dépotoir ? Mais ce terrain, Revenant-Noir le connaît ! Personne ne connaît ce terrain mieux que Revenant-Noir. Personne ne saurait nager plus vite que lui, maigre ou pas. Plus vite, plus vite, nage, Revenant-Noir, franchis la rivière, happe au passage une truite égarée si t'as de la chance, ne t'arrête pas, devance-les, les abrutis. Pousse-toi, Solitaire, dégagez, tous, faites du chemin au chef qui ne cédera plus du gros orteil son rôle de roi des ours noirs des branches sud, nord, nord-est et nord-nord-est de la Rivière. Un dépotoir, vous dites ? Il le trouvera, donnez-lui juste le temps de s'orienter et de repérer les vents. Au rebroussement de son poil, ce seigneur des bois sait distinguer le suroît du nordet. Sait reconnaître au moindre frisson de sa peau un nord-nord-noroît. Qu'on déverse seulement un sac de pommes ou de légumes pourris sur le tas d'ordures, et Revenant-Noir dirigera ses pas tout droit vers le dépotoir.

... Dieux ! quelle merveille !

Et le roi des ours s'arrête sur le faîte de la pile de billots à l'entrée du trécarré pour contempler à ses pieds la longue tranchée courbe et débordante comme une corne d'abondance.

L'abondance ! l'abondance enfin !

Une heure plus tard, il était repu et allait sombrer dans le sommeil, sommeil d'ours aux sens engourdis et pacifiés... sommeil de bête affamée durant une longue léthargie de la nature et qui enfin se rassasie... sommeil... sommeil...

Il dresse l'oreille et hume le vent qui lui apporte une odeur qui n'est plus celle de légumes en décomposition : l'odeur de l'homme. Revenant-Noir s'arrache d'un bond à sa torpeur et saute dans une des rares broussailles épargnées par l'incendie. Il cherche à sentir d'où vient le danger. Et c'est là qu'il aperçoit les femelles, les belles oursonnes du printemps, enfouies jusqu'au ventre dans les victuailles, le nez dans les choux gras. L'instinct de puissance du mâle et du chef l'emporte sur sa prudence naturelle : Revenant-Noir ouvre toute grande la gueule et lâche trois grognements non équivoques qui font dresser la tête à leur tour aux femelles. Et d'un bond, elles sortent du trou et rejoignent leur maître qui n'a pas encore eu le temps de voir virer le vent.

Car le vent a viré. Le vent de la chance. Les femelles, rassasiées, sont retournées d'instinct à l'heure du danger vers leur chef naturel . C'est lui qui les avait soustraites aux flammes, à l'été, et qui par la suite avait trouvé aux survivants des abris temporaires en attendant l'hivernement et la nouvelle pousse de la nature au printemps prochain. Et c'est lui qui grogne aujourd'hui, au péril de sa vie, pour les avertir de la présence du chasseur.

... Est-ce bien un chasseur ?... Qui est-ce ?

L'homme ne bouge pas, il semble les contempler, sidéré par la peur, ou par l'admiration. Revenant-Noir ne prendra pas de chance. Il s'interposera entre l'homme et les femelles. Assez de pertes comme ça. La saison lui a coûté déjà la moitié du clan. Il avance, lentement, droit sur le danger, cette fois il ne reculera pas, l'orgueil de l'ours lui revient intact et splendide, il marche sans se retourner, sans protéger ses arrières, ce combat se passera entre lui et l'autre, seuls, pattes contre fusil, griffes contre balles. Avec de la chance, l'Ours sera criblé à côté du cœur ou des poumons, les blessures ne seront pas mortelles... Ne t'arrête pas, marche, presse le pas, cours, bondis !

L'homme n'était déjà plus là. Il avait fui. D'ailleurs, ce n'était pas un homme. Revenant-Noir s'en était suffisamment approché pour le percevoir avec les yeux. Un enfant, petit d'homme. Le même qui accompagnait un jour le Métis au cœur de l'incendie.

Doucement les femelles rejoignent Revenant-Noir, une à une. Elles n'ont rien vu, mais elles ont senti et compris. Leur chef a eu raison du danger de l'homme. Et elles l'entourent, le frôlent, se frottent à son poil et poussent des geints quasi mélodieux qui rappellent au mâle la brève et délirante saison des amours. Il lève la tête et aperçoit, debout sur les billots, le décalque du Solitaire contre le ciel... Qu'est-ce qu'il attend pour déguerpir, le froussard, l'intrus ? C'est ce faraud qui avait osé dresser le front devant Revenant-Noir sous le soleil de midi ? C'est ce même fanfaron qui grognait si haut et se laissait courtiser par les oursonnes ? Et sans mesurer ses forces ni prendre le temps de comparer son poids à celui de l'ennemi, Revenant-Noir s'élance sur les cordes de bois à l'orée du trécarré qui fut durant tout un été le fief du Solitaire.

C'est Titoume à Margot, caché plusieurs arbres plus loin, les pieds de marbre, le cou engoncé dans la peur, et les yeux incapables même de calouetter, qui en aura long à raconter ce soir-là au Métis. À Ozite ? Non, point à Ozite. Car si la vieille devait apprendre que l'enfant qu'elle a reçu naissant des mains de sa mère s'en allait avant ses douze ans assister au combat des ours, puis aux ébats amoureux du mâle triomphant qui danse entre une demi-douzaine de femelles dévergondées... si la centenaire devait apprendre ça... !

V

Titoume déverse aux pieds d'Ozite un plein sac de citrouilles qui roulent sous les pattes de la table. Et Ozite secoue la toile d'araignée qui lui encadre la face. Il ne reste pas grand-chose de cette face rongée par cent ans de froncements, plissements, rires, grinches, grimaces, il ne reste qu'un moignon de nez et deux yeux. Deux yeux-araignées qui tissent leur toile transparente comme un halo tout autour de la tête centenaire.

L'enfant est là, paré pour la cérémonie et pour la tarte. Car après la saison des pommes du mois d'août, celle des citrouilles. Et de la tarte. On peut bien voler à la confiture une tasse ou deux de citrouille pour se régaler d'une tarte. Pourvu que...

— Tu vas point à l'école ?

— C'est samedi.

— Tu m'en diras tant ! Je vois plus les jours passer. C'était samedi avant-hier, et le jour d'avant, et demain Dieu sait quel jour on sera.

— Dimanche.

— Dimanche, tu dis ? On verra bien.

Au rythme où va le temps, depuis qu'elle approche ses cent ans, demain pourrait se réveiller en retard et se faire dévorer tout rond. Le temps de le dire et ce temps-là est passé. Affolant. Le seul temps qu'elle a eu le temps de voir filer, c'est les douze premières années de sa vie. Ah ! ça, par exemple, ça s'appelait du temps, du temps étiré, allongé, du temps clair. Elle le revoit comme si c'était hier. Après quasiment un siècle, chaque année se détache avec ses saisons, ses mois, ses jours sombres ou ses nuits blanches. À tout prendre, du bon temps.

— Si c'est samedi, dépêchons-nous de gratter nos citrouilles pour point empiéter sur le jour du Seigneur.

Elle jette un œil de côté au petit, pour voir. Elle est la première à savoir qu'elle le traitera comme les autres, le jour du Seigneur. D'abord parce qu'elle ne parvient plus à le distinguer des jours de la semaine, sa vue baisse ; puis par principe : le seul principe d'Ozite qui consiste à n'en avoir aucun. Tenez-vous-le pour dit. Le petit ne répond pas, partagé entre sa loi et celle d'Ozite, entre le penchant de se conformer et le goût de faire enrager le monde qui était devenu avec l'âge la première activité de la vieille.

Il louche du côté de la porte et se demande ce qui peut bien retarder le Métis. Il voit frétiller Ozite qui s'est déjà emparée du grand couteau de boucher qu'elle n'affile plus depuis qu'elle a cessé de faire boucherie — elle s'en vient végétarienne, que lui a dit le Métis — tourner la lame du bord du soleil et finir par dire : Parée ou pas j'y vas, et enfoncer le bras jusqu'au coude dans la citrouille. La plus grosse. Ozite n'est pas

le genre à garder le dessert pour la fin du repas.
S'il avait fallu. Garder sa vie pour ses vieux jours !
C'est quand, les vieux jours ? Si tu commences ça,
tu te décides jamais. Tu passes ton temps à reculer tes vieux jours et tu passes ta vie à mettre de
côté. Tu crèves sur la paille, la cave et le grenier
pleins. Pas Ozite. Tranche d'abord dans la plus
grosse citrouille en cas que le temps vienne à te
manquer. Ainsi il y aurait moins de perte.

— L'histoire, Ozite ?

L'histoire... il a bonne tête, l'enfant, et se
souvient. Chaque année, elle accompagne la
cérémonie des confitures d'une histoire. Ça fait
partie du rituel. D'habitude, elle choisit son conte
d'avance et s'y prépare. Sa mémoire baisse avec
sa vue.

— Je t'ai conté déjà l'histoire de la fille
laide qui trouvait point à se marier ?

Le printemps passé, au temps de la rhubarbe.
Les histoires qui finissent mal, la vieille les réserve pour le mois de mai ; et garde les drôles et
grasses pour l'automne, sous prétexte que l'âme,
à l'approche de l'hiver, doit refaire sa graisse,
comme les ours.

— Tu promets de point la répéter à ta tante
Modeste ni à la Marie-Jeanne des Belliveau ?

Du pouce il trace une croix sur sa bouche, sa
gorge et sa poitrine. Elle peut y aller. Et elle y va.
Mais sitôt partie, elle bifurque. Allez savoir ce qui
l'a poussée... Il était une fois une jeune femme,
une beauté, à la chevelure blonde répandue dans
la nature comme du blé sauvage d'automne, aux
joues plus roses que la chair de cerise, grande,
aux hanches larges, aux mains blanches... Ozite a
déjà réduit en petits cubes la première citrouille
et s'attaque à la prochaine... La jeune femme

avait un parent, un lointain cousin qui avait grandi dans le même pays et partagé ses jeux, enfant, et tous les deux rêvaient chaque jour à leur avenir en allant aux bois cueillir les fruits sauvages... mets l'eau à bouillir, c'est le temps... En forêt, le cousin instruisait sa cousine sur le comportement des animaux et leurs habitudes de vie. Au commencement, il s'attaquait aux petites bêtes : les lièvres, marmottes, porcs-épics, même la belette et le castor. Puis petit à petit, à mesure que les enfants grandissaient :

— Baille-moi le sac de sucre, va pas te tromper avec le sac de sel comme j'ai déjà fait, grand'folle ! Tiens, penche le sac et vas-y, verse. Vide-le. Combien de livres que c'est écrit ?

— Cinq.

— Cinq ? Tu me fais pas des accroires ? Me semblait avoir vu trois. Sans mes lunettes, ma vue baisse. Tant pis ! j'ajouterai de l'eau. Et des citrouilles. Il en restait dans le champ des Belliveau ?

— Sus Zéphire, si on lui en demande...

— C'est ça, j'enverrai Simon en acheter à Zéphire.

Tit-Jean à Margot est anxieux, impatient de connaître la suite ; cette histoire-ci ne ressemble pas aux autres. Il relance Ozite :

— «...À mesure que les enfants grandissaient...»

— J'étais-t-i'' déjà rendue là ?

— Han-han.

... Une belle grande fille, qu'elle était devenue, la princesse, avec sa longue chevelure éparée à grandeur des buttes...

... La princesse ? Tit-Jean avait cru, un instant, que cette fois-ci on n'était pas dans un conte, mais dans une histoire, une histoire vraie... d'où lui-même allait surgir, peut-être. L'arrivée impromptue de la princesse s'en venait brouiller ses pistes.

— En veux-tu de la citrouille, en v'là. Déjà achevé quatre. Brasse. Mais va pas te brûler comme la dernière fois.

— Pas de danger.

— Un pareil sirop bouillant, c'est pire que le dernier cercle de l'enfer, ça t'écorche un ventre jusqu'aux tripes. Le dernier cercle qui dévore les boyaux est réservé aux impudiques, apparence. Qu'on a rapporté. Rapporté par les autres, point par les damnés, ceux-là sont point revenus témoigner. C'est Marie-Jeanne qui le prêche, au retour de chaque mission à la paroisse. Elle doit savoir de quoi elle parle, Marie-Jeanne, les impudiques, elle connaît ça. Elle s'est mariée trois fois. Et si ç'avait pas été que le quatrième... Ajoute une petite affaire d'écopeaux dans le poêle, faut point laisser baisser le feu. Autant les achever d'un seul coup, les impudiques, hi, hi !

... Ouais, une belle grande fille aux joues plus roses que la chair... la chair...

— De cerise.

Quoi c'est que ça ! il la devançait ? Non, elle a déjà fait mention des cerises, elle radote. Tu devrais avoir honte, Ozite, à ton âge !

— C'est le cousin, vois-tu, qui lui avait mis le rose aux joues. Une fille qui rosit comme ça a ses raisons. C'est l'âge et la saison. T'as déjà vu un homard à la chair rose ? et les têtards dans les ruisseaux, t'en as attrapé ton saoul au printemps. C'est l'âge.

Pour la première fois, l'enfant cligne des yeux. Il est perdu. Jusqu'à la chair de homard, ça allait. Mais les têtards dans les ruisseaux...

— V'là le grand traîneux enfin ! C'est pas trop tôt.

Pas trop tôt en effet. Pour sauver Ozite, qui s'était aventurée un peu loin dans son histoire vraie. Pour sauver les citrouilles.

— Tu crois ?

Non. Trop tard. Le sirop a pris au fond. Ozite veut goûter, mais Simon lui attrape le bras juste à temps. Ses deux palais y seraient restés.

— Et vous auriez gardé votre grimace de citrouille le restant de vos jours.

Elle glousse. Imaginez-la, la centenaire, traînant une face d' Hallowe'en jusqu'à la fin de sa vie ! Elle renifle et s'essuie les yeux du coin de son tablier.

Ozite veut savoir. Voudrait bien savoir. Centenaire ou pas, une femme a des droits. Quelle sorte de grabuge s'est produit au trécarré ? Un trécarré est un carré de terre déboisé, puis abandonné à la forêt et aux vergnes, donc qui n'appartient plus à personne. Tout le monde y passe, tous les bûcherons s'y reposent, tous les chasseurs y font escale ou s'y camouflent.

— Point les chasseurs, les ours.

Ozite plante ses yeux affilés comme des flèches dans ceux du Métis. Les ours ? Que s'est-il passé au trécarré ?

Veut, veut pas, Simon le Métis doit livrer à Ozite, par bribes d'abord, puis par larges tranches, les événements du trécarré.

VI

Le clan est au grand complet. Un rond d'ours au centre d'une clairière, pas du défriché, une clairière naturelle, née d'un éboulis ou du départ trop brusque des glaces, allez savoir ! même la mémoire d'un ours ne pouvait remonter jusque-là. Une clairière créée à l'origine des temps, au creux de la forêt, à la rencontre des vents de nord-nord-est. C'est là que Revenant-Noir aimait jadis à réunir les siens. Au temps des amours, des naissances tardives et hors saison, ou à l'heure du danger. Mais le récent feu de forêt avait dévoré la mousse et la fougère en forme de crosses de violon, laissant pour toute clairière un plein-vent dénudé et noirci. Méconnaissable. Les ours en firent le tour trois fois avant d'admettre que ce tapis de suie avait déjà été leur ancien lieu de séjour et de débats.

Petit à petit, ils y pénètrent et s'y asseyent, les oreilles aux aguets et les narines frémissantes. Revenant-Noir est debout au milieu du cercle et fait des ronds de la tête en promenant sa myopie au-dessus de tous les museaux pointés sur le sien.

Ça n'avait pas été facile de rassembler les onze générations sorties de la croupe de sa mère, à commencer par sa mère elle-même. Il vient de la sentir s'approcher de sa souche, cherchant à imposer silence à sa vaste progéniture. L'Oursa- génaire veut la parole, taisez-vous ! Elle ondule, oscille, clope des quatre pattes, roule sa croupe énorme jusqu'à la souche en forme de trône où le clan a l'habitude de se réunir chaque fois que le monde cesse de tourner en rond. Elle s'essouffle, reprend haleine, renâcle et renifle, puis finit par se taire et se tenir coite. Ses rejetons et rejeton- nes des six, sept ou huit degrés la dévisagent, en attendant que l'aïeule veuille bien leur révéler ce qu'elle a sur le cœur. Mais le cœur de l'Oursagé- naire est si vieux et décrépit, que le sang s'est fait rare dans ses artères et lui irrigue de plus en plus mal le cerveau. Qu'on laisse parler son garçon.

Les bêtes encerclent Revenant-Noir, leur chef, qui a vaincu le banni de l'autre printemps, celui qui vivait désormais en solitaire dans des bois étrangers, celui qui s'était trouvé seul lors de l'incendie, sans femelle et petits à guider hors du brasier, sans vieux boiteux, clopeux et éclopés à traîner à travers les ronces...

... Quoi ! que rejimbe l'Oursagénaire qui par miracle a retrouvé l'usage de ses oreilles qu'elle avait fines dans le temps. Qu'elle a toujours fines quand il faut, quand elle veut. Et elle veut chaque fois qu'on parle des vieux de façon désobligeante. Comme si c'était une honte de vieillir en forêt ! comme si c'était une honte de mourir dans son nid ! Ça prouve qu'on a su durer. Et durer chez les ours est un signe d'intelligence. Il faut ap- prendre à jouer au plus fin avec le chasseur. La ruse, voilà. La ruse, c'est l'intelligence des ours. Et qui vit jusqu'à vingt-six ans prouve qu'il a déjoué plus d'un chasseur sur son propre terrain... Ça fait qu'après ça, que continue à marmotter l'Oursagénaire, faut pas venir me dire à moi que... Mais elle ne sait déjà plus ce qu'elle disait et retourne se coucher en rond au pied de sa souche calcinée.

On continue à flairer Revenant-Noir, leur héros à tous, qui les a sauvés encore un coup. Après le fléau de l'incendie, les ours avaient dû s'arracher à celui de la famine. Et en attendant le coucher du soleil, on se remémore...

Tout avait commencé avec le cri des geais bleus :

... Sauvez-vous, les ours ! les ours, sauvez-vous !

il y a de ça deux ou trois lunes.

... Trois lunes déjà ?

... Pas possible, il me semble que j'ai pas encore fini de me lamenter sur mes disparus. Deux adorables petits rats tout bouchonnés qui me mordaient les tétines du soir au matin. Plus goulus que ces nourrissons, la forêt n'avait jamais vu ! Ils promettaient de devenir de gros ours au long poil noir et touffu.

... Tu peux te compter chanceuse, l'Oursonne, d'en avoir réchappé un tout de même. Moi j'ai perdu tous les miens.

... Tous, ça fait combien ? s'enquiert le dénommé Courte-Queue qui n'a jamais su compter.

... Tous, c'est quand il n'en reste plus, oursaud.

... Qu'est-ce qu'il fait, le soleil, qu'il tarde tant à se coucher ? Il semble ne pas vouloir bouger, embrouillé dans les branches d'un sapin comme la tête de l'Orignal sous ses bois.

... L'Orignal encore ! Et qu'est-ce qu'il a de plus que l'Ours, l'Orignal ?

Personne n'ose répondre qu'il est le roi de la forêt. C'est là une vieille querelle que les animaux sauvages n'ont pas encore vidée. On ne parle pas plus d'orignaux chez Revenant-Noir que les hommes de corde dans la maison du pendu... Pendu, toujours pendu à sa branche, le soleil, qui ne se décide pas à se coucher, ne se décide pas, pendant que les ours sentent leur estomac se creuser ; la tête leur tourne, leurs dents grincent, faudra bien que Revenant-Noir se dresse et donne le signal du départ, un grondement doux, à peine audible, une manière de bénédicité.

Il n'a pas le temps de procéder au rituel coutumier, qu'il est bousculé par un amas de poil noueux tournant sur le jaune sale. Sa mère ! Elle n'a prévenu personne, l'Oursagénaire, elle a décidé ça sur l'heure, à l'instant, toute seule. Elle y va.

... Va où ?

Elle y va, au festin, en voilà une question ! Elle va manger.

Tous les ours se regardent, atterrés. Les vieux grognent, les jeunes grondent, Revenant-Noir soupire à pleins naseaux... Allons, allons, dame-mère ! pas le moment de faire des caprices. D'abord vous ne mangez plus guère, des glands vous suffisent. On vous en sèmera tout autour du nid. Et puis le dépotoir est loin, tout au fond du trécarré, de l'autre côté des cordes de bois, sur la rive sud de la branche est de la Rivière, entre les collines qui encadrent les habitations des hommes.

Les hommes ! justement elle veut voir les hommes. Depuis tout le temps qu'on en parle !

... Mais vous avez déjà vu les hommes, l'aïeule, ce sont les mêmes.

... Ah ! bon ? Pas intéressant. Alors pourquoi toute cette excitation et le charivari chaque soir après le coucher du soleil ?

En effet, pourquoi ? Comment expliquer à la vieille l'étrangeté du spectacle des hommes qui se rassemblent là-bas, au trécarré, à l'heure où les ours vont s'y rassasier, hommes, femmes et petits d'hommes, se bousculant à qui s'approchera le plus des ours, arrachant à leurs multiples klaxons des mélodies jamais entendues en forêt, allumant et éteignant leurs phares qui projettent sur un fond de sapins des ombres chinoises de la taille et de la forme des ours, grimpant sur le toit des voitures, les quatre pattes croisées, assis sur leur derrière, s'appelant d'un toit à l'autre, se montrant le poing, se criant des noms dans une manière de grosse corne de bœuf qui hurle trois fois plus fort que leur beuglement habituel, et le va-et-vient, et les voitures qui se cognent, et se coincent et cherchent à se passer dessus, et les petits qui braillent et les mères qui frappent et les pères qui bougonnent et les autres qui ricanent, comment expliquer le cirque des hommes à l'Oursagénaire qui ne les a jamais vus qu'en forêt, à la saison de la chasse ?

Mais l'Oursagénaire ne laisse à personne le temps d'expliquer quoi que ce soit. Elle y va. Revenant-Noir comprend que tous ses efforts de dissuasion seraient pur gaspillage de salive et de temps, deux réserves dont l'ours a grand besoin. Autant mettre ses énergies à organiser le transport. Car l'Ours a saisi du premier coup que sa mère n'est plus en état de faire le voyage par ses propres moyens. Si l'Oursonne, femelle de Revenant-Noir, pense qu'elle a de quoi se vanter avec ses huit trous, elle devrait fouiller le poil de l'Oursagénaire. La peau de la vieille doit ressembler à une pomme de pin sous sa fourrure clairsemée. Vingt-six ans de bois, dont une vingtaine de chasse. Ça fait combien de chasseurs, à votre dire ? combien de rencontres au tournant d'une broussaille ou sous les pommiers d'un verger à l'abandon ?

L'Oursagénaire s'esbroufe. Elle songe au bras du vieux Cyrille, à la cuisse du beau Jérémie et au poitrail poilu du fanfaron de Cyriaque, le bûcheron qui s'était vanté de tuer les ours à coups de hache. Elle s'esbroufe au souvenir des hommes, l'Oursagénaire. Malgré tout, elle s'est bien amusée à leurs dépens. Même lors de l'hécatombe du Ruisseau-aux-Renards. Pour chaque ourson abattu, elle avait écorché trois poitrines. Si tous les ours avaient su se défendre comme l'aïeule avait défendu sa progéniture, on n'aurait pas connu pareil carnage. Et les chasseurs à l'avenir y penseraient deux fois avant de s'attaquer à des bêtes qui ne leur avaient rien fait.

... T'appelles ça rien fait ? riposte le vieux Boiteux, plus communément appelé Vieil-Ours-qui-Traîne-la-Patte, son compère d'âge et d'aventures qui rumine dans sa mémoire un paquet de souvenirs parallèles. Rien fait au potager des Léger cet été-là ? Il ne restait plus un épi de blé d'Inde sur sa tige, plus un fayot dans sa cosse, plus un chou dans son sillon après qu'on y eut mis le museau, nous autres. Le matin où le Zéphire a crié aux voisins de venir voir l'état de son jardin, le Boiteux était caché dans son plus grand pommier et avait compris que les chasseurs cette année-là n'attendraient point la saison de la chasse pour guetter les ours à la sortie du bois. Si vous m'aviez écouté aussi...

... Fallait bien manger.

... Fallait survivre.

... Le risque était gros, mais fallait le risquer.

Vieil-Ours-qui-Traîne-la-Patte se renfrogne et se tait. À quoi bon ! À quoi ça sert d'argumenter avec des ours obtus et sans envergure ! Seul Revenant-Noir avait l'intelligence de peser le pour et le contre et de poser les gestes en fonction de leur fin. Mais l'année du massacre, Revenant-Noir ne portait pas encore son nom et n'avait pas encore révélé tous ses dons. Il était un jeune ours mâle plein de promesses, mais sans un seul trou de balle dans la peau. C'est durant l'attaque, justement, qu'il s'était manifesté. De la ruse, de la force, du courage et de la vélocité. Il réunissait toutes les vertus. Un champion. Et à lui seul, il avait sauvé la moitié du clan. Ce jour-là, le Solitaire avait dû comprendre que son règne s'en irait déclinant. Bien avant le combat des amours, il avait dû comprendre, le Solitaire. Les femelles ont du museau et savent reconnaître un seigneur à l'odeur et à la rondeur de son dos.

L'Oursagénaire, pour une fois, n'a pas perdu le fil de sa pensée et répète que les hommes sont des monstres et des écervelés de s'attaquer à des bêtes qui ne leur ont rien fait. Car dans sa lourde tête, elle calcule que l'enjeu était disproportionné. Un ours pour un épi de maïs ou trois cosses de fayot, disproportionné. Et elle s'en était donné à cœur joie de leur faire payer cher leur méchanceté.

... Ça joue même pas franc-jeu, d'ajouter une mère-ourse qui en a gros sur le cœur du Ruisseau-aux-Renards... Des lumières pour nous éblouir, des barils de pommes pour attiser nos narines, puis des filets à dards refermés sur nous. Point franc-jeu. Mais ça oublie qu'on sait ruser, nous autres aussi ; que des dards, on en a plein nos broussailles de ronces et de cenelliers. Je verrai toujours la grimace de l'effarouché qui m'a laissé une patte en partage. Il avait point l'air content de l'échange, le blanc-bec : une patte d'épaule pour un ourson d'une saison.

... Il a dû se réjouir qu'il t'avait pas pris un petit de deux ans.

La plupart des ours lèvent la tête du côté du Boiteux sans comprendre. Trop intelligent pour les autres, le vieux sage. Il a parfois de ces raisonnements !... On préfère la bonne grosse logique de Revenant-Noir, leur chef, qui appelle un chat un chat.

Mais pour l'instant, Revenant-Noir est bien loin de la logique des ours ou des chats. Il a sa mère à transporter au trécarré, une encombrante oursagénaire de près de six cents livres, impotente, croulante et délabrée, gâteuse par surcroît, et qui ne se laissera pas faire. Elle veut se rendre chez les hommes, mais à sa manière, par son chemin habituel que l'incendie de l'été a rendu impraticable.

... Comment impraticable, puisque le feu a tout brûlé ? Ça ne passera que mieux.

Elle en perd, la vieille, et ne se rend plus bien compte. Comme s'il s'agissait de passer. N'importe quel ours peut passer n'importe où, quant à ça, aucune brousse ne l'arrête. Il s'agit de passer inaperçu, voilà ce qu'elle oublie.

Cette fois c'est Nounours, l'un des petits débrouillards qui ont réussi à tromper les flammes et la fumée et sortir de l'incendie avec leurs quatre pattes et tout leur poil, c'est le dénommé Nounours qui cherche à comprendre. Dans sa

72

petite tête à lui, ça ne tourne pas rond. Pourquoi se donner tout ce mal pour passer inaperçu si l'on s'en va déboucher au bout du chemin au vu et su de l'humanité rassemblée au dépotoir du trécarré ?

Revenant-Noir glousse, assez fier de son fils. À peine une saison, et ça raisonne déjà mieux que bien des gros balourds de trois ou quatre ans, ses frères. Bonne tête, le Nounours : en voilà un qui vieillira en forêt.

... L'humanité, comme tu dis, n'est pas toute rassemblée au trécarré. Tu n'en a vu hier soir qu'une faible partie. La plus faible. Mais assez forte quand même pour nous anéantir tous si on ne prenait pas garde, et si elle décidait de prendre les grands moyens.

Nounours en a les yeux ronds et la bouche ouverte. Puis fièrement, il fronce le poil qui lui sert de sourcils et fait du museau une moue si naïvement redoutable, que sa mère elle-même en pleure de joie.

Son père s'efforce toutefois de le rassurer : ce n'est pas dans l'intérêt des hommes d'anéantir les ours, qui font partie de la beauté du paysage et constituent l'une des richesses de leurs forêts.

... Leurs forêts ! grognent en chœur trois ou quatre vieux ours qui ont griffé chaque saison leurs hêtres ou trembles pour marquer leurs territoires. Est-ce qu'on leur réclame leurs villages ou leurs potagers, nous autres ? Les mondes sont bien trop proches les uns des autres, et les frontières entre le sauvage et le domestique trop mal définies. Exemple, le trécarré.

Revenant-Noir comprend qu'il est grand temps, si l'on veut y voir clair, de reprendre le débat depuis le début. Le début... Le Vieux-qui-Traîne-la-Patte s'ébroue. Asteur pouvez-vous me dire où se trouve le début d'un conflit qui dure depuis que la nature a creusé le lit de cette Rivière qui sillonne la forêt, en sort par quatre ou cinq de ses branches pour s'en venir traîtreusement arroser les jardins des hommes ? Les poissons sont la denrée alimentaire des ours qui pêchent en forêt, mais également du sieur Zéphire qui les piège sous le pont couvert, ou de Grand-Galop et de Loup-Joseph qui les guettent au fanal, la nuit, au sud de la branche nord. Les mêmes truites et les mêmes saumons sont à tout le monde. Comme les pommiers. Les sauvages en tout cas, ceux qui poussent sans permission, à la lisière du bois. Personne ne les a plantés, ni émondés, ni entés. Le monde est à tout le monde, quant à ça : aux orignaux, aux loups, aux hommes, aux ours.

L'Oursagénaire ricane. Puis elle s'ébranle, laissant entendre que, parée ou pas, elle y va, et ne laissant pas à son fils ni au vieux Boiteux le temps d'achever leur leçon de choses ni d'attendre le coucher du soleil.

C'est ainsi que Nounours resta sur sa faim et ne comprit pas tout de suite pourquoi les ours qui se découvraient aux hommes au trécarré devaient s'y rendre à pas feutrés.

VII

Il avait voulu Marguerite.

Le seul être au monde qu'il avait voulu, désiré, pour qui il aurait vendu son âme au diable. Il se souvenait avoir souhaité la tuberculose pour l'attirer à son chevet. Il lui aurait volontiers offert son dernier souffle, pourvu qu'elle vive et se souvienne de lui. Un jour, il avait entendu condamner du haut de la chaire ce que le prêtre avait appelé l'hérésie de la réincarnation. Personne dans la paroisse n'avait eu vent de cette hérésie-là avant que l'Église se mêle d'en faire mention. Et Simon le Métis s'était informé. Une seconde vie, qu'on lui avait dit. Tu reviens sous forme de plante, d'animal, d'homme ou de femme, revivre une vie toute neuve qui recommence à zéro. Simon avait choisi l'animal, l'ours de préférence. Ainsi il serait sûr de n'avoir aucune parenté au pays. Et mâle. Il pourrait en toute bonne conscience s'approcher de Marguerite qui aimait les animaux. Elle finirait par le domestiquer, le nourrir, lui caresser le museau et la croupe. Lui avouerait-il alors sa véritable identité ?...Tu te trompes, Simon, après ta réincarnation, ta véritable identité sera l'ours.

— C'est le temps de recommencer à faire des petites folies, renchérit Ozite la radoteuse.

Et la vision de la chevelure éparse entre deux mamelons à l'horizon s'estompe et disparaît.

— La prochaine fois que tu vas aux citrouilles, tâche de m'en rapporter des moyennes, c'est plus tendre et ç'a moins de pépins.

La chevelure de Marguerite a complètement disparu. Les collines sont jaunes, ocre, tirent sur le rouille. À cause des broussailles. Il sait qu'il retrouvera toujours des citrouilles, des moyennes si l'on veut, du côté du Zéphire, et plus loin, chez les Belliveau. L'an prochain...

— L'an prochain, on sera rendu à la rhubarbe.

Elle a bonne mémoire, la centenaire, et ne confond pas les saisons ; mai, la rhubarbe ; juin, les petites fraises ; août, les concombres ; septembre, les pommes du mois d'août... toujours en retard, les vauriennes ; octobre, les citrouilles. Tout ça en bouteilles. Elle en a mariné, salé, confit, puis embouteillé à chaque saison depuis son jeune âge, et ne compte pas sauter une année pour la simple raison qu'elle va sur ses cent ans.

Le Métis se mord la lèvre supérieure et plisse les yeux du côté du trécarré où chaque année... À cent ans, qu'il se dit, Ozite a bien le droit de brûler la confiture.

— Comme ça, tu laisses un petit dévergondé faire des mauvaises fréquentations dans des lieux malsains.

Cent ans d'Ozite, trente ans de Métis, deux vies si bien imbriquées l'une dans l'autre que le plus savant des défricheteux-de-parenté n'aurait pas su démêler leurs liens, n'avaient pas suffi à Simon pour apprendre à déchiffrer du premier coup les sous-entendus de la vieille. Chaque fois, il tendait l'oreille, relâchait le menton et arrondissait les yeux. Les mauvaises fréquentations dans des lieux malsains ?... le petit ? Puis il comprend. Il comprend à la prunelle égarée d'Ozite du côté du bois. Le trécarré.

— Si un enfant qui va sur ses onze ans se met en frais de fréquenter les ours sur leur terrain à la tombée de la nuit...

Le Métis doit l'interrompre : d'abord l'enfant ne va pas sur ses onze ans, il en a douze bien sonnés ; puis le trécarré n'est pas le seul territoire des ours ; et le jour où Titoume les a fréquentés, il ne l'a pas fait exprès, mais est tombé dessus par adon.

— Les adons, ça existe pas.

Bon. Les voilà repartis. L'adon, le destin, la destinée, la réincarnation. Il a grand-hâte d'être devenu ours. Et il se remet à rêver de Marguerite.

— Quand c'est que tu vas y dire ?

Cette fois il comprend. Du premier coup. Il a une seule chose à dire au fils de Margot : qu'il est fils de Margot. Non, ça l'enfant le sait. Il faut lui révéler en plus l'identité paternelle. Simon plante carrément ses yeux dans ceux de la vieille. Le père ? Mais le jour où le Métis le saura de certitude, il ne pourra le révéler à l'enfant, car déjà...

— Qu'est-ce c'est que tu comptes faire ?

Il compte le tuer, Ozite, le tuer comme un ours.

Mais Ozite sait que Simon le chasseur n'a jamais tué un ours, qu'il a toujours tiré en l'air, à côté, au-dessus, qu'il a même plus d'une fois alerté les ours de la présence des chasseurs à leurs trousses. Simon ne chasse pas l'ours, mais l'homme, un homme, celui-là qu'il ne connaît pas, qu'il ne reconnaît pas... Quand je serai ours, qu'il se dit, je saurai bien le flairer. L'âme, comme la peau, doit transpirer et dégager une odeur.

— Apparence que les animaux des bois, c't'année, en ont tout' eu le museau meurtri et qu'ils n'auront pas trop d'un hiver pour se refaire la peau du nez.

... Inutile, le Métis, si tu te tiens trop proche de la vieille, n'essaye pas de garder au secret même tes pensées les plus inavouées.

Il vient de vider son cinquième piège, un collet que Loup-Joseph tend aux lièvres et aux lapins sauvages. Loup-Joseph peut toujours faire provisions de viande chez le boucher ou faire boucherie lui-même. Pas Ozite. Et il fait glisser une grosse lapine dans son sac de jute.

— C'est à qui c'ti-là ?

Il lève la tête : Tit-Jean à Marguerite. Presque un jeune homme avec ses traits si parfaitement dessinés, comme s'il devait garder toute sa vie ces pommettes hautes, ce nez fin comme une lame de couteau et ses yeux veinés enfoncés dans le front. Mais une taille d'enfant et des cheveux de filasse qui revolent au vent même par temps calme.

— Tu pourrais te peigner avec tes doigts au moins, que fait le Métis pour dire quelque chose parce qu'il sait mieux que le Titoume lui-même qu'aucun peigne, aucune graisse d'ours n'assagirait cette tignasse-là, que la brise ne faisait pas si mal son œuvre après tout, que Titoume, à douze ans, ressemblait encore à l'archange Gabriel dans l'Annonce faite à Marie, que cette ressemblancelà, il la tenait de sa mère qui aurait pu; elle, s'apparenter à la Vierge.

Le mot parenté lui remplit la mémoire de gros grumeaux ; il détourne la tête et contemple son sac de jute gonflé de gibier.

— Pour la vieille Ozite, qu'il fait.

Titoume ne dit rien. Depuis belle lurette que la vieille ne se nourrit plus que d'herbages, en été, et l'hiver, de légumes en saumure ou séchés. Il sait bien, le Titoume, que ce gibier finira dans son assiette. Il s'empare de son coin du sac, l'entortille autour de son poignet et aide le Métis à rapporter le trophée chez Ozite. En chemin :

— Drôle de monde, le Loup-Joseph. Pire que la Marie-Jeanne. Quand je pense que l'an passé...

Simon lève les yeux sur la corneille attardée sur une branche de saule et lui crie d'aller se coucher. Le petit se souvient donc de l'an passé ? C'est lui qui avait répondu à la belle Marie-Jeanne des Belliveau qu'un chrétien... qu'est-ce qu'il lui avait dit déjà, à la bougresse ? Il l'avait remise à sa place en tout cas. Tout ça pour le défendre, lui, le Métis. Personne n'avait aperçu l'enfant. Puis v'là qu'il avait surgi comme un jeune poulain de la touffe de vergnes, branlant sa grosse citrouille au-dessus de sa tête, plus fier et plus hardi qu'un chevreuil du printemps. Puis il avait mis la Marie-Jeanne à sa place. Elle avait tenté de parler de lui au Métis, prétendu qu'elle avait la mission d'inculquer à l'orphelin les mêmes principes qu'à ses propres petits-enfants, qu'elle devait elle-même se charger en quelque sorte de l'éducation à distance du fils de Marguerite, au nom de ses devoirs de chrétienne, comme si l'orphelin n'était pas déjà assez bien pourvu d'une Ozite et d'un Métis.

— Drôle de monde, ce monde-là.

Le Métis sourit. Puis se force à pousser tout au fond de son âme sa plus chère illusion, celle qu'il embourrait, dorlotait et gardait au chaud depuis une douzaine d'années, l'illusion qui peut aussi s'appeler chimère, rêve, mirage, fantasme, faire-semblant... que le fils de Marguerite était aussi le sien, qu'il ne grandirait pas et ne s'éloignerait jamais de la Crique, qu'il ne viendrait pas un jour comme lui, le Métis, face à face avec la Mort.

... Presque chaque jour depuis la mort de Marguerite. Douze ans. Le petit au moins, le Métis saurait le protéger. Il n'avait rien pu contre la Faucheuse pour sauver Marguerite. Mais qu'Elle prenne bien garde de s'approcher de l'enfant. Elle devrait pour ça lui passer sur le corps, au Métis. Il sourit au fond de sa gorge devant l'image de la Mort enjuponnée enjambant le corps d'un Simon couché sur le dos. Et il se demande quels mystères se révéleraient alors à ses yeux. Salope !

— Demain, on mangera peut-être bien de la tarte à la citrouille.

VIII

Le convoi s'ébranle. Tel un voilier, le soleil vient de couler corps et biens derrière l'horizon. On peut se diriger encore un coup vers le trécarré. Nounours n'a pas attendu le signal, il est déjà trois bonds en avant des oursons du même printemps que lui, montrant effrontément à ses camarades son gracieux petit derrière de soie. Mais la mère-ourse le rattrape et le force à coups de museau à rentrer dans les rangs. Personne ne doit déboucher au trécarré avant Revenant-Noir, son mâle, personne surtout ne doit passer avant lui la frontière de la zone interdite.

... Zone interdite ? Mais ce terrain-là n'est pas à nous ? On n'est pas ici au cœur de la forêt ?

Revenant-Noir doit de nouveau expliquer à la jeunesse rebelle la complexité d'un contrat vieux comme le monde, et pourtant jamais ratifié, contracté dans les temps primordiaux entre les bêtes et les hommes.

... Faut savoir garder sa place, qu'il dit dans sa langue d'ours, respecter les lois établies depuis que le monde est monde et que la forêt est forêt. Chacun pour soi chez lui. Et l'ours noir n'est chez lui que dans les bois. Du moins l'ours des branches nord, ouest, nord-ouest et nord-nord-ouest de la Rivière... Revenant-Noir rumine cette pensée, la grogne pour lui-même et n'en démord pas. Chacun doit garder sa place. La difficulté c'est de trouver la frontière, de dénicher sous la feuillée la barrière entre le sauvage et le domestique. Certaines broussailles sont bien malaisées à défricher. Un trécarré, par exemple, une clairière, un mocauque à l'orée du bois, allez savoir ! L'ours sait qu'il peut y trouver sa nourriture, par conséquent qu'il y est chez lui. Mais le chasseur de son côté sait qu'il peut y trouver l'ours, et se figure du même coup que ce terrain vague est son terrain de chasse. Bien malaisé de délimiter les territoires à la lisière du bois. Surtout au lendemain d'un feu de forêt qui a englouti les bouleaux blancs.

Alors un jeune ours de trois ans lève la tête et ose porter un jugement sur le monde et l'humanité.

... De quel droit les hommes s'en viennent-ils creuser la tranchée de leur dépotoir en pleine forêt, au cœur d'un domaine qui a appartenu aux ours de père en fils depuis la grande migration de l'ours noir d'Amérique chassé par les glaces du nord et les bisons de l'ouest, de quel droit s'en vient-on les tenter au plein mitan de leurs bois avec des restes encore chauds et fumants, pour aussitôt leur interdire d'y toucher ?

Les jeunesses oursonnes de trois ou quatre ans grondent d'indignation à la seule idée d'interdiction et pressent leurs flancs contre la croupe de leur camarade. Revenant-Noir baisse la tête et grogne tout bas. Ils ont raison : les hommes sont souvent déraisonnables, mais ça suffit pas pour partir en guerre. Point dans les mœurs des ours, ces manières-là. Ruser plutôt, puis chercher à gagner du temps. Attraper l'adversaire par son point faible qui ne tardera pas à se révéler.

Revenant-Noir n'a pas le temps de reprendre haleine et de laisser germer sous son crâne l'embryon d'une théorie sur la cohabitation pacifique, qu'une distraction inattendue et secourable lui parvient du côté des femelles. On s'agite et murmure et tourne en rond autour d'une masse noire tachée jaune qui s'appelle l'Oursagénaire et qui vient de faire sa première chute. Et tous les ours comprennent en même temps, mais sans savoir qu'ils ont compris, que la vie pour eux l'emportera toujours sur la réflexion ; qu'avant d'argumenter sur ce qui est ou non raisonnable, un ours devra se nourrir et alimenter ses petits, se protéger des intempéries de la nature et dangers de l'homme, et trouver une solution toute prosaïque et immédiate au transport d'une ancêtre qui a les mêmes droits que tout le monde à sa part de victuailles et de divertissements. Divertissements avant tout, car la vieille avoue qu'une côte, une poitrine ou un gigot d'homme ne la tentent plus tellement. À son âge !... Elle veut voir et sentir, se gausser du spectacle humain. Une dernière fois. Car la vieille sent arriver sa fin à pas de loup. Et elle refuse de crever avant de s'être gorgée une dernière fois de la fête.

Revenant-Noir s'approche. Il lui faut organiser les secours. La première étape sera la moins dure. La forêt dense ne devrait pas présenter trop de difficultés... Soulevez-la et remettez-la sur ses pattes. Puisque deux femelles lui pressent les côtes pour l'empêcher de s'écrouler à nouveau. Dès qu'elle sentira la résine lui chatouiller le museau, elle s'avancera, elle a l'habitude. Et le convoi se remet en marche.

Va pour les sentiers en forêt.

Revenant-Noir avait eu l'instinct sûr. Mais arrivée en brousse, l'Oursagénaire s'écroule pour la seconde fois. Quelques femelles rouspètent à leur manière et trouvent que c'est pas un métier ça, et que ce charroyage de l'aïeule n'entre pas dans leurs fonctions. Elles ont déjà leurs petits à nourrir et à dresser, et leur propre graisse à refaire, et leur vie à vivre, et...

... Ça va faire !

Revenant-Noir arrête sa tribu en marche et réclame des volontaires. Des volontaires pour faire traverser la brousse à la vieille en la poussant du derrière et en la soutenant de chaque côté. Il a besoin de trois ou quatre ours de quatre ou cinq ans, robustes et vigoureux, point ménagers de leur force. Que se présente la fine fleur des jeunes mâles des bois. Et tous les mâles, jeunes ou passés fleur, se présentent et s'offrent pour le transport de l'Oursagénaire.

Va pour la brousse.

Il reste trois collines à grimper puis à dévaler. Grimper, passe, un jeu pour un ours. Mais dévaler ! la croix de cet animal aux pattes d'épaules plus courtes que les pattes de fesses. Chaque bond en descente donne à l'ours la sensation de plonger cul par-dessus tête. Jamais l'Oursagénaire ne fera ses trois collines.

Jamais ? Revenant-Noir dut se mordre la langue. Car sa mère descendit les collines plus vite que lui. Plus vite que la demi-douzaine de blancs-becs chargés de sa protection. Elle les sema tous : compères, fils, rejetons, gardes du

84

corps qui la virent se dérouler en bas des buttes tel un écheveau de laine ; et chacun se demanda ce qu'il en resterait rendue au pied de la colline. Comme rien ne bougea durant les quelques premières secondes, Revenant-Noir eut le temps de retrouver ses esprits et de se préparer au pire. Il ne s'attendait pas à ce pire-là, le pauvre !

... Quoi c'est que le diable... ?

Le diable ! le diable en effet y était mêlé. L'Oursagénaire, en déboulant en bas de ses trois collines, avait tout écrasé sur son passage : nids, arbustes, embouchures de tanières ou de terriers, et s'en était venue éventrer en bout d'aventure l'abri précaire d'une famille de putois... Pouah ! D'un seul coup, Revenant-Noir recouvre l'usage complet de ses papilles nasales meurtries par le feu de forêt. La vieille reste là, inerte et bouche bée, baignant dans le pissat d'une douzaine de jeunes putois surpris par l'avalanche. Et Revenant-Noir croit un instant devoir l'y abandonner, tant le cœur lui flotte dans la graisse. Il finit pourtant par prendre sur lui et appeler au secours. Mais personne ne s'approche à plus d'une demi-colline sans s'étouffer et cracher, et prendre le mors aux dents. À la fin, l'Oursagénaire se relève toute seule, s'ébroue, secoue sa croupe, puis fait dans la direction de son fils une grimace dédaigneuse, l'air de lui dire: ... Tu pourrais pas décrotter ton poil un peu plus souvent, gros souillon !

Va pour les collines.

Reste la Rivière, songe Revenant-Noir. Mais sa mère, étourdie par la dégringolade, s'inquiète aussi peu de la Rivière que de sa première peau. Elle avance en tricolant comme une soûlarde, se demandant pourquoi ce vide autour de sa personne tout à coup, cette personne qu'on traitait aux petits soins jusqu'à tout à l'heure, soins exagérés, si vous voulez son dire, on a beau passer l'âge, on n'est pas à la merci de, pas une dépendance vis-à-vis, pas une succursale ni un accessoire, on sait se comporter comme du monde parmi le monde, se faire ours avec les Ours et gentil avec les Gentils. Elle avance en titubant, trébuchant sur le moindre nid de fourmis sans tout à fait perdre pied, concentrant toutes ses énergies dans son museau qui, sa vie durant, l'a guidée vers son but. Toujours elle a pu compter sur son nez, même dans les tempêtes de neige qui plus d'une fois l'ont dénichée de son trou en plein hiver. Son pif lui servait alors de baromètre comme d'antennes, et réussit maintes fois à lui sauver la vie... La vie! quelle blague, quelle plaisanterie ! une vieille retaille du paysage oubliée dans la nature. Quelqu'un l'avait oubliée, ou s'était mépris sur elle, la décomptant comme une grosse roche couverte de mousse jaunie par les années. Et on l'avait abandonnée à son sort qui avait débordé dans sa destinée... Elle glousse tout bas en brassant ces drôles de réflexions sous son vieux crâne d'ourse malpropre et mal léchée mais qui n'en a pas moins atteint l'âge de Mathusalem dans ses bois. Allez faire mieux !

Elle se retourne d'un coup sec. Un effronté vient de lui mordre la queue, ce qu'aucune femelle, en âge ou pas, ne saurait prendre à la légère. Son gros oursaud de fils encore ! son ourson des belles années, grandi plus vite que les saisons, et qui ne se prend pas pour une merde depuis qu'on l'a désigné chef et seigneur de sa tribu. Un seigneur qu'elle a eu dans son ventre avant de l'avoir dans le cul, et aujourd'hui, v'là qu'elle a le tannant à ses trousses. On lui fichera donc jamais la paix !

... La Rivière, madame-mère, on est rendus à la Rivière. Venez vous y débarbouiller d'abord. Après...

... Se débarbouiller, elle ? Pour quoi faire ?

Revenant-Noir ne cherche pas à la convaincre ni à éclairer sa lanterne, seulement à distraire de sa course cette grosse masse de fourrure puante et à la pousser à son insu jusqu'à la rive. Une fois là, on trouvera bien moyen de la faire basculer dans l'eau et peut-être, si le diable ne s'en mêle pas trop, à lui faire franchir les quelques brasses de chenal qui sépare la rive nord de la rive sud.

... Approchez, les jeunes, venez donner un coup de patte à votre aïeule qui a bien mérité sa part du bal avant de plonger dans le repos éternel. L'éternité sera longue pour les ours, et irréversible. Laissez-lui y emporter une tête pleine de souvenirs de fête et de bonne vie. Venez donner un coup de patte.

Et les jeunes ours de deux printemps cherchent à devancer leurs aînés de trois ou quatre, histoire de démontrer à Revenant-Noir et à leurs mères qu'ils sont majeurs et sevrés. Ils courent entre les pattes de la vieille, la poussent, la mordent, la pigouillent du museau, et finissent par lui arracher une litanie de grognes échelonnées sur deux octaves :Grougne-grougne-et-merde-au-grand-Manitou-ou-ou !... qu'elle clabaude entre autres imprécations de pareille farine, à l'éblouissement des jeunes ours et au scandale de l'Oursonne qui n'en croit pas ses oreilles. Scène burlesque, s'il en fut, et que contemple avec sérénité et philosophie le vieux Boiteux qui traîne sa méchante goutte jusqu'à la Rivière... Du calme, du calme, clame le chef, pendant que tous s'affairent autour de la vieille, nerveux, sceptiques,

sûrs que l'Oursagénaire ne saura même pas flot-
ter. Nounours s'amène alors, le nez en l'air,
sautillant et frétillant d'importance, criant aux
autres qu'il a une idée...

    ... Une idée, lui ? c'est rendu que les ours
ont des idées asteur ?

    ... Une idée je vous dis, qu'il dit, une ma-
nière de façon de solution de...

    ... Crache ton idée ou tais-toi.

Mais pour son bonheur il n'a pas le temps
d'exposer devant toute l'assemblée qui se préparait à se moquer de lui ses idées aussi impratica-
bles que farfelues... que l'attention de tous les
ours est attirée du côté de l'héroïne du jour qui,
elle, n'a pas attendu les suggestions de personne
pour suivre sa propre idée et s'en aller à l'insu de
tout le monde se jeter dans la Rivière.

    ... Rattrapez-la ! rattrapez-la ! Le courant va
l'emporter ! Coupez-lui le chemin !

La tribu tout entière se garroche à l'eau et
nage à pleines pattes vers l'aval, cherchant à
barrer le passage à la grosse boule de poil qui
s'abandonne béatement à la discrétion de la
nature, ayant appris de son procréateur qui l'avait
appris du sien, que rien ne vaut un bon élan
naturel... si tu ne sais plus nager, plonge et fais
confiance à la mer, elle te portera... voilà ce
qu'elle avait appris étant jeune, faire confiance à
la nature, suivre ses instincts... et elle laisse ses
instincts l'emporter tout droit vers le barrage
naturel dressé par les castors qui, voyant arriver
l'embâcle, crient au meurtre et s'égaillent dans
les rapides.

Et voilà comment les castors de la rive sud
participèrent sans le vouloir au sauvetage du plus
vieil ours de nos forêts, mais au prix d'un superbe
barrage reconstruit après les feux de l'été, et

d'une bonne douzaine de peaux qui ne coifferaient jamais le chef des coureurs de bois.

Va pour la Rivière.

On aborde enfin la dernière étape, la plus dangereuse parce que la plus proche de la civilisation. Mais la déviation, occasionnée par la dérive de l'Oursagénaire, rend les ours perplexes et Revenant-Noir soucieux. On est pas mal plus à l'est que de coutume, faudra déboucher au trécarré par le sud. Les bêtes n'aiment pas déroger à leurs habitudes et se laissent aller à la grogne... La vieille, toujours la vieille, femelle gâteuse et retombée en enfance.

Au mot femelle, toutes les mères-ourses et oursonnes se rebiffent et prennent la défense de l'aïeule, par solidarité. L'une d'entre elles va jusqu'à jeter sur le Vieux-qui-Traîne-la-Patte un œil qui en dit long sur les décrépits en âge de laisser la place aux autres. Revenant-Noir doit de nouveau mettre la paix... Suffit ! assez de chamailleries comme ça ! Réservons nos forces pour la lutte suprême, qui ne va pas tarder. D'un jour à l'autre, l'été aura basculé dans l'automne et la chasse aura fait ses premières victimes. Attendez-vous cette année à la recevoir sur la tête comme la foudre, sans signal ni avertissements.

... Souvenez-vous du Ruisseau-aux-Renards, marmonne le Boiteux que d'aucuns préfèrent appeler le Radoteux-qui-Traîne-la...

... Assez, assez !

Mais en dépit du grognage et grondage pour la forme et pour répondre à un besoin de leur nature, les ours s'avancent sans faire de bruit, discrets comme des chats sauvages, attentifs comme le hibou la nuit. Et c'est ainsi qu'ils atteignent la zone des hommes, un peu plus tard que d'habitude, et par un autre sentier : le sentier du sud.

Les ours s'arrêtent, interdits. Une bouchure à dards, faut-i' ben ! Du barbelé. Il manquait plus que ça ! Voilà qui ne se grimpera pas aussi facilement que les cordes de bois, pas facilement du tout, avouons-le. Et Revenant-Noir songe à sa mère qui n'a pas fini d'encombrer le paysage.

Bon. Arrêtons-nous et réfléchissons. On pourrait rebrousser chemin, faire le grand tour et aborder le trécarré par l'entrée habituelle, celle des cordes de bois. Mais la tribu affamée gronde et s'impatiente. Pas question de détour à l'heure qu'il est, pas question. Plusieurs ont déjà pris leur élan et se préparent à sauter les barbelés comme une touffe de broussailles, quitte à y laisser du poil. Revenant-Noir les retient au dernier instant. Tous ou personne, qu'il leur laisse entendre. Que les vigoureux et bien-portants viennent au secours des faibles. Et tout le monde comprend que le plus faible des faibles s'appelle l'Oursagénaire, comme toujours, et qu'avec celle-là, on n'est pas encore sortis du bois.

On grogne, on crache, puis on s'organise. Encore un coup, ce sont les jeunes de quatre ou cinq ans qui sont mis à contribution. Deux des plus durs au mal prennent appui sur la clôture de dards, offrant leur dos aux petits qui y grimpent allègrement et sont ainsi les premiers à atterrir de l'autre côté. Quelques vieux profitent de l'aubaine à la suite des oursons, tandis que les adultes dans la force de l'âge sautent la clôture comme des cerfs.

Reste l'Oursagénaire. Revenant-Noir appelle au secours deux ou trois de ses fils, les plus farauds et fringants, et les place derrière la vieille. Et allez, hop ! poussez. Et allez, hop ! poussez. Et

l'on pousse, et pouffe, et s'essouffle, et murmure, car la vieille dame ne s'aide pas, elle se
laisse faire, leur écrase les épaules de tout son
poids, s'esbroufe même... heuhhh ! vous me
chatouillez, petits vicieux !... s'amuse comme une
folle. Alors l'un des jeunes fanfarons juge que la
fête a assez duré et que, veut, veut pas, il la fera
passer, lui, la ribaude. Et plantant la pointe de
son museau dans le derrière de l'aïeule, il tend
de toutes ses forces les muscles de son cou et
catapulte dans les airs son arrière-arrière-arrière
grand-mère qui lui lâche, en s'élançant, une pleine
tripe de merde dans la gueule.
    Et va pour les barbelés.

    Quand les hommes ont vu déboucher dans
le trécarré la plus large tribu d'ours noirs de tout
le haut du comté, les petits en premier, suivis des
vieux traîneux, suivis des mères, suivis des autres,
suivis de leur chef et capitaine Revenant-Noir, et
au beau milieu de tout ce beau monde d'ours,
l'Oursagénaire, royale et empotée... quand les
curieux de la Rivière ont aperçu le défilé, ils ont
d'abord fait : aaah ! puis ont figé.
    C'était le soir de la Saint-Michel.

IX

— Asteur pouvez-vous me dire...

Si fait, on pouvait. On pouvait tout raconter à Ozite, la seule citoyenne des cinq branches de la Rivière à n'avoir pas mis les pieds au trécarré durant tout cet automne. Et on lui fit le récit détaillé, circonstancié, revu, corrigé et augmenté de l'accident.

— Pas même un accident.

— Un charivari qui aurait pu mal tourner.

— Ç'a commencé avec une étourdie d'étrangère, une étudiante, apparence...

— Ç'a beau se frotter aux grandes écoles, ç'a pas grand jugement.

... Une étourdie qui a enfreint la règle et fait rouler sa voiture quasiment sous les pattes de l'ours. Et là, elle en est sortie, croyez-le ou pas, elle est sortie de sa petite Ford rouge. Avant même que les autres aient eu le temps de lui crier de point s'approcher des ours, la v'là-t-i' pas qui ouvre un grand sac et en sort une enregistreuse, t'as qu'à ouère ! puis s'approche d'un petit ours

à qui sa mère a comme qui dirait donné de la
laisse, et entreprend de le faire parler. Le plus
curieux c'est que l'ourson a l'air de répondre et
de s'amuser comme un petit fou. Pas sa mère. Pas
la mère-ourse de six cents livres, le poil à pic et
les narines fumantes. Elle s'en vient comme un
taureau dans l'arène, droit sur la folle qui se met
à reculer, et à hurler, et à jouer des bras comme
pour se protéger la face. Puis là, on voit Revenant-Noir en personne, c'est Tit-Jean à Margot
qui l'a reconnu, se glisser entre les deux et, en
passant, pousser d'une fesse l'étudiante qui s'en
va revoler dans le trou du dépotoir. Il restait un
fond de braise rouge dans le trou aux ordures
qu'on avait brûlées le matin même. Les femmes
ont des visions d'enfer et crient. Les hommes
braquent les phares sur les lieux de l'accident
pour mieux voir et mesurer le danger. C'est Simon
qui saute dans la tranchée et ramasse la folle par
le chignon au péril de sa propre vie.

— Il en gardera la peau juste une petite affaire plus tannée que d'accoutume, le Métis.

Ozite s'éponge le front, puis glousse.

On aurait pu croire l'incident clos. Mais le
danger du feu avait fait oublier celui des fauves et
plusieurs blancs-becs étaient sortis de leur ca-
mion pour participer au sauvetage... après que le
Métis eut achevé de ramener l'étourdie à sa voiture. Le cirque, qui durait déjà depuis un mois,
avait laissé aux hommes le temps de se familiari-
ser avec les bêtes, ainsi qu'aux ours le temps de se
figurer qu'ils pouvaient se fier aux hommes. Les
oursons surtout couraient chaque soir dans les vi-
danges du dépotoir comme dans leur propre
jardin, ayant tout l'air de s'inventer des jeux qui
répondaient à leur audace ou à leur confiance.

Ils sautillaient, se tordaient, se dressaient sur leurs pattes de derrière en se tapant dans les pattes d'en avant... L'une des filles de Zéphire jure même en avoir vu un lui cligner de l'œil. Ils s'exhibaient dans de savantes culbutes et cabrioles, au nez d'un public en délire et des mères-ourses au désespoir... Ces petits-là finiraient par provoquer un malheur, par rompre le fragile équilibre de la détente. Mais allez dire ça à des écervelés de huit mois qui vivent leur premier automne, autant dire leur première saison de chasse. Une seule façon de leur dire, une seule façon de parler à ces effarés. Et la mère-ourse, femelle de Revenant-Noir, dont l'unique rejeton figurait au premier rang des fanfarons exhibitionnistes, au moment où elle vit son nourrisson faire des gargouilles dans le micro de l'étudiante anthropologue, jugea que la fête avait assez duré. Et c'est alors qu'elle avait foncé. Et c'est alors que l'étudiante avait hurlé. Et c'est alors que Revenant-Noir avait décidé d'intervenir. Toute cette activité en moins d'une minute. Et qui avait abouti au danger encouru par l'innocente dans le brasier du trou, puis au sauvetage que l'on sait.

Mais l'équilibre était rompu. Revenant-Noir avait bougé. Et du coup ébranlé toute la bande qui s'était dressée sur ses pattes et menaçait même les voitures. Surtout les camionnettes protégées seulement d'une toile, ou le jeep aux portières de tôle. On vit monter à toute vitesse les vitres des fenêtres ; on entendit démarrer les moteurs, on sentit le gaz carbonique couvrir les odeurs de légumes et de coquillages en décomposition. Et l'on assista au plus splendide fouillis d'embouteillage jamais survenu au goulet d'un dépotoir de campagne. Une douzaine de voitures qui décident de sortir en même temps, à reculons, du même trécarré par le même étroit sentier ! Ce sont les ours qui ont eu le spectacle ce soir-là.

Ce soir-là ?...

Seule Ozite comprit, et beaucoup plus tard, que les spectateurs ne sont pas toujours ceux que l'on pense et que le cirque se déroule parfois dans les gradins.

Ozite... plus le vieil ours rachitique et boiteux qui avait laissé, au cours de sa longue vie, la moitié de ses orteils dans les pièges à renards et traînait une méchante goutte dans l'autre moitié, le vieil ours prénommé le Vieux-qui-Traîne-la-Patte.

... Par les temps qui courent, qu'il jongle...

Le Boiteux sait d'instinct que les temps ne courent plus comme avant, comme de son temps où un ours racé savait garder sa place et ne se mêlait pas de la vie des hommes. Quel avantage trouve la bête des bois dans ce genre de fréquentations ? Plus on se frotte aux hommes, et plus on risque d'attraper leurs maladies et leurs puces. De l'hommerie, tout ça ! Et le vieux goutteux crache.

Mais Nournours, durant tout le monologue intérieur de l'ancêtre, n'a pas cessé de défendre sa conduite, illustrant chaque étape de son plaidoyer d'un geste de la croupe, de la queue, du museau, des quatre pattes à la fois, exploit qui l'entraîne invariablement à rouler sur ses fesses.

... D'abord il n'a rien fait de plus que les autres : des éclaboussures en pataugeant dans la boue, des culbutes, croupades, ruades, sauts périlleux, sauts en hauteur, plus hauts que les autres, plus périlleux, parce qu'il a des ressorts aux pattes, celui-là, c'est pas sa faute, il est né de même...

C'est sa mère qui vient au secours de l'ourson. Tout était de la faute de l'innocente qui s'en était venue flanquer la queue d'un bizarre appareil — du jamais vu en forêt — quasiment dans la gueule des nourrissons qui ne savaient pas mieux, les pauvres, on peut pas tout leur apprendre la première année, on peut pas les dresser en une saison à grimper aux arbres, avancer sans faire craquer les brindilles, se nourrir à même les cenelliers sans se déchirer la peau aux épines, et savoir garder ses distances dans le monde des hommes. Des jeunes, ç'a pas de méfiance. Ça risque n'importe quoi. Même de mordre à l'hameçon d'un appareil qui n'a l'air de rien mais qui te rend tout d'un coup le son de ton propre grognement, qui hurle tout haut ce que t'as murmuré tout bas. Les hommes ont beau se dire aussi intelligents que les ours... il leur reste à apprendre qu'on ne peut pas traiter tout le monde pareil. Un ours, lui, sait d'instinct que le chasseur a point de griffes et qu'il doit par conséquent s'armer d'un fusil ; c'est son droit, parce que c'est sa seule défense. Sans fusil, un chasseur dans les bois est sans défense. L'ours comprend ça. Alors pourquoi l'homme n'essaye pas de comprendre les faiblesses de l'ours ? L'ours a l'ouïe fine, c'est connu. Mais sensible. Donc irritable. Un bruit qui éclate sans avertissement et sans respect de rien, ça énerve. Et un ours énervé... Quelqu'un a dû commencer.

... Ç'a commencé comme un jeu.

... Jeu de chiens, marmonne l'Oursagénaire.

... Un jeu c't un jeu.

... Il avait bien besoin, l'effaré Nounours, de s'approcher à deux pattes de l'écervelée et de s'en venir gueuler ses dires dans une machine.

... Oh ! vous savez, les dires de Nounours, ça peut pas aller bien loin, ça risque pas de changer le cours de la Rivière.

Tout le clan s'esclaffe, à sa manière. Sauf Nounours qui boude... Il a rien fait de mal. Il s'amusait, c'était bien son droit. C'est même lui qui avait inventé un jeu pour amuser les visiteurs, une façon d'éclabousser la...

... Assis, Nounours !

Et l'ourson du printemps retombe raide sur son derrière de soie.

Revenant-Noir est inquiet. Et ne badine pas. Le dépotoir du trécarré fut le grenier des ours durant toute la saison de la récolte, en remplacement des bois et clairières dévastés. S'il fallait qu'une étourderie de petit morveux de l'été — du printemps, corrige mentalement Nounours, sans oser réfléchir tout haut — ferme la barrière du trécarré et bloque aux affamés l'entrée du dépotoir, la forêt n'en aurait pas fini avec ses malheurs. N'y a pas de quoi se trémousser.

Une oursonne de bonne taille, qui a dû mettre bas tous les deux ans depuis sa puberté et qui frise maintenant ses douze ans, lève un œil moqueur du côté de son chef qu'elle a connu intimement dans le temps... T'es pas en train de nous faire accroire, Revenant-Noir, que tu t'es pas ébroué avec les autres, tout à l'heure, au beau mitan de l'esbroufe, quand une bonne moitié des chasseurs, qui en saison nous montrent la gueule de leurs carabines, ce soir se sauvaient en nous montrant leur cul. Et elle froisse son museau d'un bel ocre jaune et secoue son poil encore dru malgré sa longue carrière de femelle qui a fait parler d'elle plus qu'il ne sied à la mère et grand-mère et arrière-arrière d'une bonne moitié du clan.

Revenant-Noir laisse échapper un genre de gloussement rauque au souvenir de la récente débandade du trécarré. Et ses oreilles vibrent encore des restes d'une splendide cacophonie... Cris, hurlements, klaxons, grincements de pneus, choc de ferraille et de carrosseries, et pour couronner la fête, la petite voiture rouge de l'écervelée qui s'écrase contre un chêne. Pauvre chêne ! Dommage, c'était un centenaire. Alors, si vous aviez vu ! Des chasseurs, qui hier encore faisaient les farauds derrière leurs canons de fusil, qui cherchent à descendre de voiture sans débarquer, à secourir la folle à distance, en baissant la vitre de la portière juste de quoi passer le bras, un bras qu'un ours pouvait leur arracher d'un seul coup de patte... tandis que l'innocente tente désespérément de s'arracher l'arbre du corps.

Du moins, telle fut la vision qu'en ont reçu les ours, mieux postés que quiconque pour tout voir.

Au premier rang, Revenant-Noir, comme c'est le devoir de tout chef soucieux du salut des siens, dressé sur ses pattes de derrière, le front haut et la gueule toute grande ouverte pour qu'on ne se méprenne pas sur ses intentions ; tout le temps qu'a duré la scène il n'a pas bronché, pas avancé mais pas reculé d'une griffe, klaxon ou pas klaxon. Derrière lui, quelques jeunes mâles et les femelles sans petits, sorte d'escadron du capitaine. Et là-bas, tout au fond, les mères et les nouveau-nés, les vieux décrépits, et l'Oursagénaire qui s'ébrouait, s'ébrouait comme une folle, à s'en fendre la rate.

Jamais elle n'avait espéré assister dans ses vieux jours à pareil spectacle, quand quelques heures plus tôt elle avait décidé de suivre les autres malgré les préventions et interdictions de son oursaud de fils qui craignait pour sa peau... Sa peau ! à son âge. Voyons, fiston, le poil lui collait déjà aux os, sa peau ne valait même plus la poudre de leurs fusils. Si un ours du pays de la Rivière ne courait aucun danger de sortir du bois, en des temps pareils, c'était bien l'Oursagénaire.

Et elle repasse dans sa vieille mémoire ses émotions et souvenirs de sa randonnée au trécarré.

Elle est là, la vieille ourse de vingt-six ans, qui lève la tête et renifle, non pas l'arôme de victuailles fumantes qui monte du trou — depuis maintes saisons qu'elle a perdu l'appétit, la mathusalème — mais l'odeur des hommes. Elle n'en a jamais tant vu, ni de si près. Un beau cirque, qu'elle se dit. Dommage qu'ils se croient obligés de se camoufler derrière leurs vilains abris de ferraille. Elle aurait le goût d'aller en pigouiller une couple pour les faire sortir au grand jour, leur bien laisser entendre qu'elle les a reconnus et, qu'en autant qu'elle est concernée, ils n'ont rien à craindre. Pour voir. Voir à quoi ça ressemble au naturel, un homme, sans attirail de chasse et sans sa mentalité de chasseur. Elle rumine... Gagez-vous que tout nu, sans sa carabine et ses chiens...

Mais rapidement elle est distraite par une paire d'yeux ronds et saillants qui ont l'air d'insister. La vieille a la vue basse et ne voit pas qu'on la regarde, elle le sent. Elle sent les yeux du vieil homme sur sa peau et se retourne vers lui. C'est alors qu'elle entend une polyphonie de klaxons et de voix rauques qui hurlent au vieux de ne pas s'approcher des ours et de sortir de là ! Mais l'homme ne bouge pas. Il paraît fasciné. L'Oursagénaire a fait quelques pas dans sa direction pour mieux le flairer et chercher à savoir ce qu'il veut. Elle est tout près et fait de longs cercles de la tête. Puis ses yeux se plissent et se concentrent sur l'une de ses manches qui s'agite au vent. Une manche vide. La vieille ourse allonge alors le museau, le promène de gauche à droite et reconnaît le grand Cyrille à son odeur de compost et de pipe brûlée... Eh bien, mon vieux, on peut pas dire que tu sois rancunier.

Le vieux manchot n'entend pas les protestations et criailleries qui s'arrachent des voitures...

— Celui-là n'a donc aucun sens ni aucune idée des bêtes sauvages !

... et s'approche à deux pas de la vieille ourse... Je l'aurais jamais cru capable de se relever de c'te balle-là, qu'il fait. En plein cou.

L'Oursagénaire calouette et marmonne.

... J'en ai vu d'autres. Et le cou, c'est point la gorge. Pis si je te montrais, sous mon poil, la peau de mon échine et de mes jarrets...

... T'es une dure, comme on dit.

... Nous autres, on dit endurante. Et toi, le vieux, tel que je te vois, tu m'as pas l'air de manquer d'endurance non plus.

... Nous autres on dit résignation.

... Tu t'arranges avec une patte en moins ?

... Il m'en reste trois. Et comme c'est une patte d'en avant, ça me rend point boiteux.

L'Oursagénaire n'entend pas cette dernière remarque. Elle est rentrée dans ses souvenirs. Le vieil homme aussi. Il se retourne une dernière fois.

... Je regrette pour le petit, qu'il dit. C'était une balle perdue.

Pas perdue pour tout le monde, songe l'Oursagénaire, mais elle ne le dit pas. Elle a déjà oublié. Et lentement, elle boite vers la feuillée où cinq ou six vieux ours se tiennent à l'abri des phares et de la musique.

... Ils sont tous en train de parler de nous autres, tu dis ? Comment ça, parler de nous autres ? ils nous regardent même pas.

... Quoi c'est qu'il a tant à hurler, c'ti-là ! les ours sont point sourds.

... Il s'adresse pas aux ours, dame-mère.

... Dans ce cas-là, quoi c'est qu'il est venu faire au dépotoir ? Si c'est pour haranguer son monde, il pouvait faire ça chez lui.

Son compère d'âge et d'infirmité hoche la tête. À quoi ça sert d'essayer d'instruire sur les hommes une vieille toquée qui les méprise comme de la merde.

... La merde est point méprisable, Boiteux. Un ours ne méprise jamais la nature.

... Mais les hommes, ils sont point, ceux-là aussi, un petit brin de la nature ?

L'Oursagénaire se souvient alors que c'est précisément pour voir les hommes qu'elle s'est payé le voyage par monts et mocauques, voir les hommes à l'état sauvage. Et elle fait une moue dédaigneuse.

... Vaut pas le déplacement, qu'elle marmonne entre ses gencives dégarnies.

Elle reste là, ne bouge pas, parée à retourner dans ses bois pour y crever tout à son aise, couchée en rond au fond de son trou. La vie simple, tranquille, claire comme de l'eau de roche. Elle laisse couler sa mémoire le long des temps préhistoriques, à une époque où la vie naturelle et primitive avait donné sa vraie mesure. Nul besoin pour les grands sauvages de la forêt de s'arracher à leurs traditions et paysage pour venir se frotter à une civilisation acharnée à leur destruction. Alors que par les temps qui courent...

L'Oursagénaire se gratte. Elle arrive de moins en moins à se débarrasser de ses poux. Quelle plaie ! Une si petite bête et faire de pareils dégâts. Et le Boiteux, qui la contemple, ne peut s'empêcher de penser qu'on est tous le pou de quelqu'un.

C'est sans doute à ce moment-là que le vrai cirque avait commencé : l'affrontement des ours et des hommes retranchés derrière leur ferraille. La débâcle. La débandade. Seule l'Oursagénaire était restée passive et insouciante.

... Ça sait même pas aborder un passage étroit, ce monde-là, ni sauter un fossé, ça sait même pas galoper dans les ornières, regardez-les. Jamais vu un pareil bout-ci, bout-là ! Allez-y, les ours ! chassez-les de votre territoire ! Envoyez-les se nourrir ailleurs que dans nos bois. Chacun pour soi, chez lui... Le beau chiard !

L'Oursagénaire, en rond sur sa propre croupe, avait suivi avidement le spectacle et gloussé tout son saoul. Soudain elle avait levé la tête et promené sa myopie originelle sur les quatre horizons... Tiens ! tous partis. Et tranquillement, elle s'en était allée grignoter les vieux restes de carottes, choux et betteraves en décomposition.

X

Ozite s'en fut au grenier sourlinguer l'enfant de sa paillasse, comme si ce jour-là était du quotidien, et comme si la centenaire ne risquait pas ses os à grimper une échelle de grenier.

— C'est la Toussaint, que grimaça Tit-Jean qui aurait pu en dormir la moitié.

Dormir ? Bon pour la marmotte. Ozite thésaurisait du temps comme une vieille usurière. Elle le ménageait, le faisait profiter, l'étirait jusqu'au centuple. Surtout pas le dormir. Et elle sourlingua l'enfant de son lit.

— L'été des sauvages, qu'elle fit ; pas de temps à perdre.

Tit-Jean à Margot comprit qu'on ne se soustrait pas plus au rituel des fêtes et saisons qu'on ne résiste à une volonté enracinée dans des os de cent ans. Quatre-vingt-dix-neuf étés indiens ! il ne pouvait pas lui faire rater le centième... Grouille-toi, Titoume : le soleil, lui, a déjà le pied hors du lit.

Ozite venait de poser sa patte de piroune sur la première marche et s'aventurait dans la cage de l'échelle, à reculons. En alpiniste hardi, mais prudent. En bas, c'était le vide. Un plancher de bois franc. Sur une cave. Sur du roc. La vieille fut un instant tentée par le vertige. Un douceâtre petit vertige, grisant, étourdissant, et qui l'eût emportée par en haut, quant à faire, tout droit à travers les nuages, au pays des ancêtres primitifs et nés natifs dans les temps primordiaux. Elle jeta un œil à l'enfant qu'elle avait élevé et qui ne savait même pas encore distinguer la saison des caleçons d'hiver de celle des caleçons d'été ; et elle s'en voulut de n'avoir pas bien instruit Simon le Métis sur ses devoirs : le petit était un enfant tout à refaire, qui avait tout à apprendre... elle aurait dû prévenir le grand lingard de Métis, le beau Simon qu'elle avait aussi quasiment élevé, après ses sept siens propres... ses sept sortis de son ventre... ses sept... avait-elle vraiment mis sept enfants au monde ? mais où étaient-ils tous trépassés ?... Tous !... jusqu'au benjamin dénommé...

— Laissez-vous glisser, grand-mère, je suis là.

Et Tit-Jean reçut dans ses bras de douze ans le corps d'une vieille qui eut tout juste le temps de rattraper son âme en train de lui sortir par les narines. Elle ouvrit ses yeux-araignées pour prospecter le monde d'en bas, et reconnut son benjamin, le benjamin du benjamin du benjamin... aveindu du ventre de Marguerite. Et elle s'arracha du coup à son vertige.

— Par où c'est que t'es passé ?

Par le châssis du grenier. Voilà. Il avait eu le temps de comprendre dans quel tunnel s'était aventurée la vieille, genre de tunnel qui pouvait déboucher bien plus loin qu'on pense, bien plus haut ; et il avait sauté par la lucarne, puis s'était présenté, les bras en croix et les jambes écartées, au pied de l'échelle.

— C'est l'été des sauvages, qu'il dit pour ramener Ozite au pays, pas de temps à perdre.

— Pas de temps à perdre.

Et elle en oublia jusqu'à son gruau en train de faire du ciment dans le poêlon.

— Par un temps pareil, qu'elle fit, on pourra remplir au moins sept-huit sacs de vieux épis de blé d'Inde qui s'amusent à pourrir dans les champs du beau Zéphire.

Quelques heures plus tard, la vieille et l'enfant avaient rempli leurs six sacs et grignotaient tranquillement leurs pommes d'automne et leurs biscuits secs, assis sur un tas de racines de maïs. Titoume aurait volontiers fermé les yeux pour rattraper ses rêves laissés en plan par l'entrée inopinée d'Ozite dans son sommeil, au petit matin. Et Ozite, qui traînait comme une comète la queue lumineuse de son vertige, n'eût rien fait pour brouiller le silence et l'immobilisme d'une nature quasiment complice... trop complice pour ne pas éveiller de soupçons.

Ozite sort les yeux de sa toile d'araignée mais ne voit rien. Pourtant elle sent, donc elle sait. Car depuis quelque temps, la vieille ne sent plus par le nez, mais par le front qui se plisse, le menton qui tremble, le cou qui se raidit. Son corps, si bien entortillé autour de sa conscience, vibre au moindre pressentiment, à la moindre brise d'un mystère qui commande à la vie de parler ou de se taire.

L'enfant a ouvert les yeux pour contempler la vieille qui contemple la vie. Il ne sait pas au juste ce qui se passe, mais sait qu'Ozite l'attrapera au vol quand ça passera. Elle indique du menton une touffe de jeunes cormiers dans les aulnes.

— Va voir, qu'elle fait, mais approche doucement, sans l'effaroucher.

Il comprend qu'elle a senti de la vie sous le fourré et qu'il n'a pas le choix : peur ou pas, tu y vas. Tu vas découvrir par toi-même, et t'imposer, et te faire accepter ou rejeter selon que tu maîtriseras ou non les règles dictées par le Métis.

Résolument, il y va.

* * *

L'Oursagénaire n'avait pas averti personne. D'ailleurs depuis l'expédition au trécarré, elle ne se donnait plus guère la peine de prévenir le clan de ses allées et venues entre les chicots ridicules de la forêt. Ce semblant de forêt, cette ombre d'habitat qui ne servait même plus à couvrir leur intimité, qui livrait le moindre mouvement des ours au vu et au su de tous les indiscrets, ce pays-là ne méritait plus le nom de royaume des animaux. Et l'Oursagénaire s'éloigna de l'aire des bouleaux noircis et prit par le sentier qui menait aux champs en friche.

Revenant-Noir avait plus d'une fois averti sa mère de ne pas s'en aller seule en terrain découvert, d'éviter les mauvaises rencontres, fortuites et inutiles. Mais sa mère chaque fois lui envoyait dire qu'elle l'avait mise au monde pour se délivrer l'échine d'un poids lourd et gênant, et non pour s'encombrer, dix-douze soleils plus tard, d'un pète-sec qui s'en viendrait lui dicter ses dits et gestes. Revenant-Noir se contentait alors de cracher et de soupirer, mais n'en envoyait pas moins un ourson la suivre à la trace, pour ne pas perdre le contact tout net.

Ce jour-là, le sort tomba sur Nounours.

Il trottinait allègrement, se figurant au début qu'une oursagénaire n'était plus en âge de distancer un petit coureur de sa trempe. Il la flairait de loin, son ouïe captant chacun de ses déplacements. Puis soudain, sa tête se mit à tourner comme une toupie. Il en agrandit la gueule, les yeux...

... Où diable est-ce qu'elle est passée ? Plus rien en avant, derrière, à côté... plus d'Oursagénaire sous bois. Elle en serait donc sortie, la gâteuse ! Sortie de la forêt en pleine saison de chasse ? Même un ourson de son inexpérience savait mieux que ça. Et flaire à gauche, et flaire à droite, et renifle, et pouffe... Grands dieux des bois ! elle est en plein air libre, en haut du champ, parmi les hommes, elle est là qui s'avance en clopinant, tout droit vers eux... ils sont deux — l'ourson sait compter au moins jusqu'à trois — elle ne les voit pas, mais elle devrait bien les sentir, qu'est-ce qui l'empêche de les flairer, comme lui, Nounours, qui vient de les repérer même par la vue... il les voit, ils sont à quelques bonds de lui, assis sur leur croupe, en train de manger. S'il grogne pour avertir la vieille, il va se révéler aux autres. Et là-dessus, la consigne est nette : en saison de chasse, pas de furetage chez les hommes. Bon-bong !... il entend battre son cœur contre ses côtes, et aspire à la douceur du ventre poilu de sa mère. Puis il a honte et se ressaisit... Pas oublier, Nounours, que ton propre père, Revenant-Noir... Mais l'image du chef lui chavire davantage les boyaux et Nournours sent que tout son bas-ventre est sur le point de céder. Il veut se retenir pour ne rien laisser échapper de sa présence dans les aulnes, sous les cormiers, mais...

* * *

Titoume et Nounours se dévisagent durant de longues secondes sans bouger d'un cil, d'un poil, chacun remettant lentement son âme en place... tranquille, Nounours... calme-toi, Titoume... le plus gros du danger est passé, cet ours est un ourson... ce chasseur est un petit d'homme, un petit de ton âge. Puis la mémoire revient à l'ours : cet enfant se trouvait au dépotoir du trécarré deux lunes plus tôt, Nounours l'avait bien distingué parmi les autres à son odeur d'herbes sauvages et de résine des bois, mélangées au sirop de citrouilles. Odeur rassurante.

Titoume ouvre enfin la bouche :

— Es-tu tout seul, l'ourson ?

... Nounours, Nounours de son prénom.

— Nounours ! Ta mère va pas bondir tout d'un coup des broussailles pour me faire un sort ?

... Sa mère est restée au bois. Il est d'un âge à se défendre tout seul, ça s'adonne.

Titoume sourit et Nounours baisse la tête. Mais il la relève aussitôt, inquiet... L'autre là-bas, qui c'est ?

Tit-Jean suit son œil.

— La vieille Ozite ? Pas dangereuse. Elle va sur ses cent ans. Pis elle aime les animaux.

Et Tit-Jean se met en frais de raconter à Nounours comment Ozite réussit chaque année à brûler la confiture qui aboutit invariablement au trécarré.

— M'est avis qu'elle le fait exprès, qu'il avoue en savourant sa joie. Elle connaît les ours comme

110

s'ils étaient de sa famille. Et connaît leurs goûts.

Nounours se lèche les babines au souvenir de la confiture. Alors Tit-Jean risque le grand jeu. Il sort de sa poche des restes de biscuits et deux cœurs de pommes.

Les enfants n'aperçoivent pas les aïeules qui s'approchent doucement l'une de l'autre, n'éveillant en marchant que des insectes attardés de l'automne et trois ou quatre rats des champs. L'Oursagénaire gobe au passage un mulot trop curieux, sans se donner la peine de le mastiquer, chargeant son vieil estomac de la besogne qu'elle confiait à ses mâchoires du temps qu'elle avait encore ses dents.

... Plus grand dents accrochées aux gencives moi non plus, que répond Ozite en voyant la gueule ouverte de la vieille ourse.

Alors l'Oursagénaire se la ferme, rassurée sur les intentions de la centenaire. On pourra se parler en paix, sans animosité, en oubliant jusqu'aux lois de la nature que les deux vieilles se risquent tranquillement à transgresser.

... Les lois ! que glousse Ozite. Si ça n'était que de nous deux...

L'Oursagénaire acquiesce du chef... Hormis celles qui régissent la vie...

... Pour un ours, que fait Ozite, je me figure qu'il doit point en exister d'autres. Hors la vie, à quoi s'attache un ours ?

L'Oursagénaire plante ses petits yeux myopes au centre de la toile d'araignée, jusqu'à en amener la centenaire à calouetter.

... Hors la vie, tu dis ? Mais à quoi peut-on penser hors la vie ? Qu'est-ce qui existe hors la vie ? Avant, après, en dehors, en dessous...rien.

111

Ou ce qui est, c'est encore de la vie... C'est pas aussi de la vie ?

Ozite aspire du bout du nez l'air d'automne enflé de souvenirs et de mystères.

— D'où je viens, qu'elle s'enhardit...

Puis elle se rend compte qu'elle a parlé tout haut et quasiment effrayé l'autre. Si on se place à ce niveau-là, on risque de ne plus se comprendre et de gueuler ou de gronder de part et d'autre pour ne rien dire. Et elle se radoucit.

... Je suppose que chacun de notre côté on vient de la vie, qui à son tour engendre de la vie à venir. Jusqu'où tout ça va-t-il aboutir ? C'est la grosse question. Quand Ozite va quitter sa vieille carcasse de femme pour en faire de l'engrais qui fera pousser le blé d'Inde qui nourrira les ours, qu'est-ce qui restera alors d'Ozite la ricaneuse, Ozite la ratoureuse, Ozite la mère de sept enfants ? Sept enfants qu'elle s'en est allée durant vingt ans arracher aux limbes en attendant... en attendant quoi ?

Ozite a posé la question franc-raide à l'Oursagénaire. Et l'Oursagénaire n'a eu d'autres choix que de baisser les yeux, se rabattre les oreilles et se pincer les narines : ses sens ne peuvent se rendre jusque-là. Autre que la vie, elle ne connaît pas.

... Tout ce que je sais, qu'elle fait, c'est que j'habiterai toujours cette forêt qui couve et nourrit la Rivière. Ce monde sera mon monde, morte ou vive.

... Morte ou vive ? interroge Ozite. Tu veux dire que même après la mort... ?

L'Oursagénaire ne répond pas. Mais elle louche vers l'orée du monde que ses yeux ne parviennent pas à encercler, tourne la tête de droite à gauche, et finit par accrocher son regard à la cime d'un vieil orme, rabougri et abandonné au milieu du champ. Et sans regarder Ozite...

... Celui-là non plus sait pas ce qui va advenir de son feuillage clairsemé et de ses branches tordues.

Puis en fouillant le sol d'un museau gourmand :

... Pourtant, vieille femme, si tu pouvais seulement planter ton nez sous terre pour sentir jusqu'où vont les racines de ce vieux rabougri-là...

Ozite sort toute la face de sa toile pour mieux laisser s'épanouir son large et franc sourire.

Nounours et Titoume se roulaient joyeusement dans les feuilles mortes quand les aïeules les rejoignirent. Et un instant les vieilles s'abstinrent de déranger leurs jeux.

... Ceux-là ne se feront jamais de mal, que fit l'Oursagénaire, sentencieuse.

Ozite ne répondit pas. Car elle venait d'apercevoir l'œil de l'enfant qui les avait repérées. En voyant clopiner côte à côte sa centenaire adoptive et une ourse d'au moins six cents livres, Titoume s'était levé d'un bond, prêt à voler, les mains nues, au secours de la vieille. La panique de l'enfant s'était transmise au petit d'ours qui ouvrait déjà la gueule et se dressait sur ses pattes de derrière.

Alors d'instinct les deux grands-mères se séparèrent l'une de l'autre, attirant mutuellement leur progéniture dans des directions opposées. Sur le chemin du retour, Ozite rassura Tit-Jean sur l'Oursagénaire.

— Elle a usé une bonne partie de ses griffes, a perdu quasiment toutes ses dents, et a semé tout au long d'une longue vie une grosse part de sa grogne. Il vient un âge dans la vie où une personne a d'autre chose à penser qu'à mal faire.

L'enfant regarda vers l'orée du bois où une ourse centenaire et un ourson de son âge s'en allaient galopin-clopinant en se racontant sans doute avec nostalgie leur journée chez les hommes.

XI

Avec Ozite, Tit-Jean sortait à peine de l'enfance ; devant Simon, il marchait fièrement vers sa vie d'homme. Mais ses nuits n'appartenaient qu'à lui. Celle qui suivit sa rencontre avec Nounours le fit pisser au lit. Pas tout à fait pisser... Et il eut encore plus honte.

La vieille avait déjà prévenu le Métis qu'il aurait des sacs de blé d'Inde à charroyer en forêt.

— Pas un seul épi pour moi ? que s'enquit l'homme.

— C'est pas là du manger respectable même pour un sauvage comme toi. Et pis songe à ceux-là qui c't'année sont encore plus mal pris que nous autres.

Le Métis savait à qui songeait la vieille femme. Après la confiture, le maïs pour les ours. Si elle avait pu, elle leur eût construit un abri d'hiver ; et tricoté aux nouveau-nés des vêtements chauds.

— En attendant que les petits rats faisirent leur poil... qu'elle entreprit d'expliquer à Simon.

Mais Simon l'interrompit :

— En attendant leur poil, les petits ont des mères jalouses avec de la fourrure jusqu'aux naseaux.

Ozite ricana et poussa le Métis dans le dos.

— Au trécarré, qu'elle dit. Et tâche de semer queques grains en chemin pour les attirer sur tes pistes.

En traversant la cour, il aperçut le Titoume qui pendait son drap sur la corde. Pour détourner le discours du linge de lit, le Métis cria à l'enfant de venir l'aider à traîner ses sacs au bois.

Les villages des buttes, des baies et des anses n'avaient pas eu grand nouvelles à se mettre sous la dent depuis les événements de la Saint-Michel. Hormis la chasse. Mais la chasse n'était plus un événement en pays de bois debout.

— Venez pas me dire qu'une année comme celle-citte est une année comme d'accoutume.

Vrai. Pas une année comme les autres. D'abord la chasse dans une forêt incendiée ne peut plus s'appeler une chasse, mais une tuerie, un massacre. Au point que les plus endurcis des chasseurs commençaient à rougir. Et les yeux se détournaient de la gibecière du Loup-Joseph gonflée de lièvres et de lapins sauvages.

— Une chasse, ça se fait à deux.

À deux, bien sûr. Tous les chasseurs s'accordaient là-dessus. Mais tous n'étaient pas d'avis qu'au lendemain d'un feu de forêt, seules les bêtes s'exposaient. Les chasseurs comme les ours et les orignaux évoluaient d'arbre en arbre et se cachaient au creux d'un fourré de broussailles. La chasse en terrain découvert devenait dangereuse pour tout le monde.

— Songez aux événements du trécarré.

On y songea. On y songea durant tout l'automne. Et à l'approche de la Toussaint, quatre branches de la Rivière s'étaient mises d'accord sur le sort du dépotoir.

Le Métis s'arrête et happe le bras de l'enfant. Ce bruit-là n'appartient pas à la forêt. Des moteurs de camions en saison de chasse, on connaît ça. Mais un bulldozer ? Il dépose ses sacs de maïs et fait signe à Titoume de le suivre. Ce trécarré n'est pas la seule propriété des hommes. Faut les avertir. Mais le Métis a beau hurler et agiter les bras, le bulldozer ne reconnaît personne, n'entend pas raison, ne distingue pas le bien des hommes du bien d'autrui. D'ailleurs il est trop tard : la longue tranchée en corne d'abondance n'est déjà plus qu'une large cicatrice traversant le trécarré. Le grenier des ours est enterré sous des tonnes de cendres et de cailloux.

Tit-Jean lève les yeux vers le Métis et sent le début d'une pomme d'Adam lui déformer la gorge. Il revoit Nounours et Revenant-Noir et tout le clan des ours plonger tête première dans le trou fumant où commençaient à pourrir les restes de table des bien-mangeants. En quelques heures, la corne s'était transformée en un colossal tombeau.

— Aussi ben commencer tout de suite à creuser une fosse aux ours, qu'il crache.

Et il piaffe comme un jeune poulain devant une clôture infranchissable.

Le Métis, lui, ne piaffait plus depuis qu'il s'était brisé le pied sur le mur de roches qui encerclait la cour du presbytère. Il aurait pu ce jour-là sauter le mur comme il avait toujours fait,

117

ou pousser le clayon comme un paroissien ins- truit dans les lois et règles de l'Église. Mais c'était l'été où il s'était mis à soupçonner l'un des chas- seurs de la Butte-aux-Oies ou de l'Anse-au-Trésor d'être la cause de son malheur ; et faute de s'en prendre à la Rivière, il s'était brisé le pied contre les murs de l'église. Depuis, il ne piaffait plus.

— Viens-t'en, qu'il commande à l'enfant pour l'arracher à la tentation d'aller donner des coups de pieds au bulldozer. On a six sacs de blé d'Inde à livrer à qui de droit.

Tit-Jean avale son cœur de pomme et suit le Métis. Il connaît ces «qui de droit». Les seuls qui ont encore des droits. Des droits selon la nature et la vie. Qui d'autres que les hommes pouvaient songer à enfouir sous la cendre les vivres de toute une race qui venait déjà de perdre sa forêt na- tale ? Ça prenait des Zéphire, et des Loup-Jo- seph, et des Grand-Galop, et des pisseuses de Marie-Jeanne pour se résoudre à un geste pareil. Ça prenait des endurcis de sans-cœur et sans-en- tendement.

Et sans répondre au Métis qui cherche à le sonder, il empoigne deux sacs d'épis de blé d'Inde et se les garroche sur les épaules. Il suit. Sans l'ombre d'une peur et sans la plus rudimentaire des précautions. Il ira tout droit chez les ours, comme un parent ou un ami de la famille, et se présentera sans cogner. On est venus vous porter à manger, qu'il leur dira ; en dédommagement. Venus aussi s'excuser pour eux. Même pas. Tit- Jean ne cherchera pas à excuser les hommes. Il se dissocie de sa race. Et si les ours...

— Chut ! fait le Métis, couche-toi.

À peine Tit-Jean a-t-il le temps de sortir de son long monologue, qu'il voit la masse noire grandir sous ses yeux. L'ours s'est dressé, surpris.

— Grouille pas et aie pas peur, c'est le Vieux-qui-Traîne-la-Patte.

L'enfant prend le temps de rire au nom du vieil ours, avant d'avaler une salive qui ne vient pas... Bouge pas, Titoume, le Métis sait ce qu'il fait.

Il sait. Et fait ce qu'attendait de lui le Boiteux. Le mort.

— Couche-toi, qu'il répète à l'enfant.

Et l'enfant obéit.

Deux morts que vient flairer le vieil ours, faisant glisser son museau morveux le long des corps, du cou au bas du ventre, aux genoux, aux chevilles... Grouille pas, se répète un Titoume qui ne sait plus s'il est chez lui ou chez les ours, si les ours sont ou non de sa famille, s'il va se tirer vivant de cette mort-là.

Bientôt l'ours va promener son museau plus loin, vers les sacs de maïs qu'il éventre de deux coups de patte. Vieux, pas vieux, on sait encore déchirer de la toile de jute.

En s'éloignant des morts qui lèvent la tête, le vieil ours jette un œil au Métis et plisse les narines comme pour lui dire :

... La prochaine fois, tâche d'éviter de péter, ça sent trop le vivant.

— Je serai pas confirmé.
— Ils t'ont refusé ?
— C'est moi qui refuse.
— Quoi c'est qu'ils t'ont fait ?
— La même chose qu'à toi.
— ... ?
— J'irai pas, c'est toute.
— Si les Zéphire, ou la Marie-Jeanne, ou ta tante Modeste s'en mêlent...

119

— Comment c'est qu'elle est devenue ma tante, celle-là ?

— Une longue histoire. C'était comme une manière de tante à tous les orphelins de la paroisse. C'est comme ça qu'elle a élevé ta mère.

Le Métis et Tit-Jean se taisent devant l'apparition entre deux squelettes de trembles de l'Orignal empanaché.

— Quatorze pointes, chuchote Simon en tenant le bras de l'enfant. C'est la plus belle chose en forêt...

— ...après Revenant-Noir.

Les deux copains sourient : ils ne vont pas se chicaner encore une fois sur les vertus de l'Ours ou de l'Orignal qui sont, à tour de rôle, tous deux rois de la forêt. Pourtant l'homme et l'enfant, pour des raisons que ni l'un ni l'autre n'auraient pu exprimer, finissaient toujours par accorder leur loyauté à l'Ours.

— Il est beau pourtant, ne peut s'empêcher de soupirer l'enfant, comme si c'était là une trahison à quelqu'un. Crois-tu qu'il nous voit ?

— Pas de derrière la tête, ni même de côté ; un orignal voit rien d'autre que ce qui passe tout droit devant lui. Ça fait que, mon gars, tiens-toi une petite affaire à l'écart de son champ de vision. Mais il entend, quasiment comme un ours.

Il a dû entendre la dernière remarque du Métis. Car il a filé. Pas plus que l'ours, l'orignal n'attaquera un homme qui ne le provoque pas. Et en saison de chasse, on préfère jouer de prudence du côté des bêtes. Le petit s'émerveille devant tant de science chez les animaux qui reconnaissent même la saison de la chasse. Comme s'ils savaient lire le calendrier. Simon le Métis glousse : c'est la nature qui commande au calendrier, point le calendrier qui fait la loi à la nature.

— Autrement, c'ti-là qui a inventé le calendrier serait plus fort que Celui-là qui a créé le ciel et la terre.

— T'en sais des affaires, le Métis. Pour un qui a point passé trois ans sur les bancs d'école...

— Trois ans ? Trois mois !

Trois mois avaient suffi à Simon pour repérer la chevelure de Marguerite entre toutes les têtes tressées serrées qui scandaient la lecture de leur abécédaire. Trois mois décisifs où le Métis joua sa vie. Depuis ses langes, l'orphelin n'avait senti sur sa peau que les seules caresses du vent, des rayons chauds du soleil, des champs de trèfle ou de la mousse du sous-bois où se roulait son corps d'enfant à la grande joie de ses sens. Des sens si bien instruits et cultivés par la mère nature elle-même que, dès l'école, ils étaient prêts pour la grande explosion. La vue de Marguerite, sa lointaine cousine, sa soi-disante cousine, sa cousine-pour-son-malheur, acheva d'un jet son éducation. Et en trois mois, Simon le Métis fut un homme. Après, ce n'était plus qu'une question de temps, le temps qui fait pousser les jambes, les bras, le poil, la barbe ; le temps qui te plante une pomme dans le gosier et du plomb dans le cerveau ; le temps qui prend soudain le visage d'une Faucheuse qui approche à pas feutrés en jouant de la faucille...

— T'en sais des affaires, mon beau Simon.

Simon tressaille. C'est la première fois que le fils de Marguerite marche ainsi sur sa discrétion naturelle et lui donne du «beau Simon». Et en réponse, Simon lui brosse la tête de toute la

121

paume et des cinq doigts. Mais très vite l'homme comprend que l'enfant cherche à percer un mur, le mur du silence qui entoure sa naissance. Il est fils de Marguerite, c'est acquis. Et puis après ? Quelle part a pris le Métis dans son engendrement ? Car à douze ans, Tit-Jean sait qu'Ozite n'y est pour rien. Tout au plus a-t-elle présidé en sage-femme à sa venue au monde. L'autre, l'autre que les autres appellent son père, mais que Tit-Jean l'orphelin consentirait à nommer son géniteur, cet autre, le père inconnu...

Simon le Métis bifurque vers le sentier qui mène à la clairière, le sacro-saint de la tribu de Revenant-Noir. En plein jour. Au cœur de la saison de chasse. Titoume veut bien se fier au Métis, mais...

— T'as point ton fusil, qu'il fait remarquer au chasseur.

— Pourquoi faire ? que se contente de narguer le Métis.

Il narguerait n'importe qui en ce moment, même le plus gros clan d'ours sauvages, même Revenant-Noir, les mains nues ; il narguerait la nature en personne si elle le provoquait au combat... pourvu qu'il retarde l'instant où il devra tout avouer à l'enfant, lui révéler ses vraies origines inconnues, aussi inconnues que l'inimaginable. Douze ans de quête n'ont pas réussi encore à lever le coin du rideau. Il a suivi à la trace Loup-Joseph, Grand-Galop, même Zéphire, l'honorable, le quasi vénérable père de famille qui a son banc à l'église, il les a épiés tous, jour et nuit, dans les bois, dans les champs, sur l'eau à la chasse au canard, seuls ou en assemblée de citoyens, parlant de politique, d'argent, d'héritage, d'engrais chimiques ou de rien. Rien. Rien sur Marguerite en douze ans.

Il songe à Ozite qui aura bientôt, qui a déjà cent ans, et se dit qu'il ne peut plus attendre, qu'il doit là et tout de suite forcer l'enfant à pousser d'un seul coup. Provoquer l'explosion.

— Si j'allais finir mes jours en prison, qu'il fait dans une espèce de rire fêlé aussi faux que le croassement de la corneille, saurais-tu enterrer Ozite sans que personne vienne lui garrocher dans la face l'eau du goupillon ?

Tit-Jean veut rire, mais n'y parvient pas plus que le Métis.

— Quoi c'est que t'as fait, Simon ?

— Rien fait à personne.

— Et tu iras en prison pour ça ?

— Un homme qui fait rien dans certains cas devrait être pendu.

— Quoi c'est que t'as l'intention de faire ?

— ...

— Quoi c'est que tu vas faire, Simon le Métis ? que huche l'enfant à en faire sortir la marmotte de son terrier.

— Chut ! on n'est pas loin des ours, Titoume ; t'apprendras que c'est pas des manières, ça, pour venir en visite dans la parenté.

Cette fois l'homme et l'enfant rient de bon cœur. Deux bons cœurs qui en avaient grandement besoin.

* * *

L'Oursagénaire en pisse de contentement au récit du Boiteux-qui-Traîne-la-Patte. Et elle lui raconte à son tour sa rencontre avec la vieille femme.

... Celle-là n'a pas osé faire la morte, qu'elle ricane. À un certain âge, c'est un jeu trop dangereux.

Elle dit cela sans même se souvenir de ses propres vingt-six ans. C'est le Vieux-qui-Traîne-la-Patte, qui n'a pourtant pas connu tout à fait vingt soleils, ou peut-être, mais tout juste, c'est son compère du vieil âge qui se plaît à lui rappeler ses infirmités et l'échéance prochaine.

... Un ours ne peut pas s'éterniser en forêt, qu'il fait sans grogne, car la forêt elle-même n'est pas éternelle. La preuve, un petit incendie de rien du tout a réussi à en ravager plus de la moitié.

L'Oursagénaire, qui passe son temps à rappeler sa fin toute proche à son mécréant de fils et à la tribu d'écervelés qui a tendance à lui manquer de respect, n'aime pas se faire dire qu'elle vieillit par quelqu'un de sa génération.

L'autre récrimine. Sa génération !... il aurait pu être son fils. Pourtant il avoue que les générations, chez les ours, ne se comptent pas comme ailleurs, pas comme chez les hommes, en tout cas, dont aucun encore n'a connu la joie de voir tout un peuple sortir de ses flancs.

Tiens !... L'Oursagénaire se rengorge. La prochaine fois, elle aura une réponse toute cuite à servir à la vieille qui s'en reviendra lui parler de la vie d'avant ou d'après la mort.

... Veux-tu dire que t'as l'intention de la revoir ? s'inquiète le Boiteux dont la patte-qui-traîne n'a pas oublié le Ruisseau-aux-Renards.

... L'intention ? comme s'il fallait à l'Oursagénaire des intentions, asteur ! Elle reverra la vieille, dénommée Ozite, avec ou sans intention, uniquement pour bien laisser entendre à toute sa tribu, son fils et son compère en premier, qu'elle est maîtresse de ses allées et venues dans une forêt qui l'a vue naître avant tout le monde, chevreuils et orignaux compris.

Et elle tourne la croupe au Vieil-Ours-qui-Traîne-la-Patte en dressant bien haut son moignon de queue, manière de lui montrer son cul.

XII

Qu'est-ce donc qui empêchait les ours de partir vers le trécarré ? Le soleil n'était-il pas déjà à l'orée de l'horizon ? Les jeunes n'entendaient plus crier leurs tripes, ou quoi ? Qu'est-ce qui retenait les ours en forêt ?

... On a beau être en saison, grogne l'Oursagénaire, un chasseur qui se respecte va pas viser un ours aux abords d'un dépotoir, et pas après le coucher du soleil.

Le Boiteux ricane sous son poil. C'est bien la première fois que sa commère d'Oursagénaire prête de bonnes intentions aux chasseurs. Puis il la voit s'écraser sur un nid de fourmis... les pauvres !... qui ne sauront jamais quel météore s'est abattu sur leur planète.

Revenant-Noir ouvre la gueule pour tenter d'instruire sa mère sur la nouvelle tournure des événements, sur le nouveau visage du trécarré, sur la nouvelle menace qui plane sur les ours noirs au pays dit de la Rivière ; mais la vieille n'est pas d'humeur à comprendre raison ni même à s'ouvrir à l'évidence.

... Ça n'a plus aucune jarnigoine, cette engeance, plus de débrouillardise, plus d'élan, plus de bouillons de vie entre les reins et les boyaux. Si le grand oursaud de Revenant-Noir qui se prétend son fils était rendu trop fainéant pour mener un contingent d'ours jusqu'au dépotoir, que chacun se débrouille. Allez manger, les petits, l'hiver pourrait vous tomber dessus sans prévenir.

Les oursons du printemps ne demandent qu'à croire l'aïeule qui tourne le fer dans la plaie ouverte de leur estomac. Combien de jours déjà qu'ils jeûnent ? Quelques épis de blé d'Inde à se partager entre toute la parenté, rognés jusqu'au tronc, jusqu'à la corde, jusqu'aux sacs de jute inclus dans le marché.

* * *

Ozite fait la moue aux deux grands escogriffes incapables de s'acquitter convenablement d'une mission qui n'était pourtant pas d'aller accrocher des pattes aux mouches.

— Pas même la jarnigoine de rapporter les sacs ! Mais dans quoi c'est, pensez-vous, qu'on va transporter les vivres en forêt dorénavant ?

Les deux escogriffes comprennent qu'ils ne sont pas encore sortis du bois. Que la centenaire a bel et bien décidé de nourrir les ours à même sa propre réserve d'hiver. Que d'ici la tombée des neiges, le Métis et Titoume seront employés à transporter chaque jour en forêt...

— Grouille-toi, faignant !

Et la vieille pousse l'enfant hors de son fauteuil d'osier et s'y enfonce... C'est pas parce qu'un dépotoir est enterré sous la cendre que le trécarré est mort. D'ailleurs ça se déterre, un dépotoir. Il doit rester encore bien des bonnes choses là-dessous. Une bête qui rechigne point devant de la toile de jute devrait pas faire le bec fin devant des résidus enfouis depuis trois jours, ça me semble.

Titoume et le Métis sont ahuris. Inutile de geindre, de se plaindre, ni de chercher à se défiler : tôt ou tard il leur faudra recreuser la tranchée du trécarré. Autant s'attaquer tout de suite à la besogne.

Et ils s'éloignent, pic et pelle sur l'épaule.

— Ça pourrait nous prendre trois jours, sans arrêter pour souffler ni pisser ; et par ce temps-là, tous les genses des bois auront eu le temps de crever.

Simon constate que son jeune protégé les a appelés des «genses des bois». L'enfant ne fait donc plus tellement la différence entre ceux des terres, des buttes, des anses, et des bois. Il y a Loup-Joseph, Grand-Galop, les Zéphire, la Marie-Jeanne, Revenant-Noir, le Vieil-Ours-qui-Traîne-la-Patte, Courte-Queue et l'Oursagénaire.

— Nounours, que commente Titoume...

... Et il y a Nounours, songe le Métis.

— ...Nounours doit avoir à peu près mon âge, si on tient compte de la différence.

... Ah ! si : l'enfant sait donc faire la différence.

— À quel âge un ours devient-il un homme ?

... La langue lui a fourché.

— Ça doit pas se faire dans ce bas monde, que répond Simon le Métis, sans rire ni calouetter. Mais de l'autre bord, on sait jamais.

Tit-Jean s'était tout simplement mépris sur les mots et n'avait pas songé au passage de la bête à l'homme. Pourtant, l'interprétation de Simon le séduit. De l'autre bord... lui pis Nounours pourraient donc avoir des vies interchangeables ? De même que le Métis et Revenant-Noir ? Et l'Oursagénaire, qui doit bien approcher de l'âge d'Ozite...

Et il se met à raconter à Simon la rencontre des deux vieilles en haut du champ : deux centenaires qui clopinent côte à côte entre les sillons, en ayant tout l'air de s'échanger des souvenirs et des points de vue sur le monde.

— Si les animaux pouvaient parler, qu'il fait...

Simon se prépare à expliquer à Titoume que ce n'est qu'une question de mots, que les animaux entre eux se parlent comme toi et moi, qu'ils arrivent même dans certains cas à communiquer avec les hommes, surtout avec les femmes, surtout avec les centenaires... mais il est distrait par une odeur qui lui attire le nez du côté de la grange de la Marie-Jeanne... Ça ne serait pas des citrouilles et des courgettes, toujou' ben ? peut-être même des betteraves ?

— Tout ce qu'il nous faut c'est une bonne grosse borouette, qu'il dit en plantant son coude dans les côtes de l'enfant.

* * *

Nounours, faute de grignoter tout le jour comme ç'avait été sa principale occupation depuis sa venue au monde, tâchait de distraire son ventre de ses lamentations dans des jeux de plus en plus fantasques et audacieux. Au début c'étaient des passe-temps de fils unique — ses frères et la plupart de ses cousins ayant péri dans l'incendie — du genre : je grimpe aux arbres et attention ! je te saute sur la tête, Courte-Queue. De la gymnastique, de l'acrobatie, de la manœuvre, de la pétulance, du dérangement. Mais très tôt, il fit le lien entre cette dépense trop forte d'énergie et les cris de plus en plus tenaces de son estomac, et se calma. Puis il bouda, fit la tête, sombra dans l'ennui. Sa mère regardait avec mélancolie cet écheveau de laine qui lentement se transformait en paquet de poil, et souffrait dans le coin le plus secret de son ventre... Va jouer, Nounours. En attendant les temps meilleurs.

... Les temps meilleurs ?...on allait donc s'en sortir ? Et il revit soudain un visage, des épaules, des mains, des mains qu'un petit garçon enfonçait dans ses poches pour en tirer des pelures de pommes et des biscuits secs. Un jour unique dans la vie de Nounours. Le plus beau depuis son premier voyage au dépotoir. Depuis qu'il était sorti vivant du feu de forêt. Depuis qu'il était sorti tout rond du cul de sa mère. Et il se remémore. Il n'était pas venu au monde tout seul. Au début il avait eu des frères. Combien ? Mais en ce temps-là, Nounours ne savait pas encore compter. Il se souvient des autres Nounours tout semblables à lui. C'était le bon temps.

Plus fort que lui. Plus fort que les gémissements de ses tripes. Il lui faut du monde. Et pour un ours qui a passé une demi-journée chez les hommes, qu'est-ce qu'une escapade du côté des autres espèces des bois ? Déjà qu'il a pu se rincer l'œil des ébats des lièvres ou des porcs-épics sous la feuillée... du temps que les arbres avaient des feuilles.

Avant la tombée du serein, l'Oursonne se mit à flairer et grogner en circulant entre les souches et les troncs, s'arrêtant de temps en temps pour tendre l'oreille. Elle lui avait dit d'aller jouer, mais pas d'aller s'égarer dans les bois des autres, hors de leur territoire. Et elle gronde de plus belle. Puis elle fige. Ça vient du côté du ruisseau, juste au-dessus du nouveau barrage. Les castors n'ont pas perdu de temps après la débâcle de l'été ; malgré la pénurie de branches et de brindilles, ces infatigables ont réussi à reconstruire, que c'est à en faire venir l'eau à la bouche ! Ils sont tous là en famille à se baigner dans leur lac artificiel et à se nourrir... quoi ? Ça se nourrit de poissons ? Il y a du poisson !

... Maman-ourse !

La mère-ourse n'en croit pas ses yeux ni ses narines. Avant même de sentir son petit, elle avait senti la truite. Et elle plonge. Sans égards pour le barrage tout neuf ni pour les baigneurs, elle s'en va patauger dans une mer bien trop étroite et trop basse pour ses six cents livres qui menacent dangereusement d'ébranler le fragile échafaudage. Un vieux rongeur de plusieurs automnes toise l'intruse en se disant que décidément, tant qu'il y aura des ours dans les parages, ce ne sera pas l'année des castors.

... Maman-ourse !

Cette fois elle le repère. Au beau milieu d'un cercle de camarades de son âge... mais non, point de son âge, ces loutres, et ces lièvres, et ces marmottes, et ces castors, et cette jolie belette toute blanche qui doit plutôt s'appeler une hermine avec une fourrure pareille... point des animaux de l'âge de son ourson, mais de sa taille. Et Nounours, qui a encore beaucoup à apprendre, n'a sûrement pas fait la distinction entre taille et maturité. La preuve, ce nourrisson à peine sorti de la fourrure de sa mère commande sans vergogne à ses aînés de plusieurs soleils, sans se douter qu'il bafoue ainsi l'ordre des choses. Sa mère se trémousse : il ira loin, ce petit-là. Puis elle le mord pour le faire rentrer dans les rangs.

... Pourquoi un ours peut pas jouer avec les autres ?
... Les autres, ça dépend qui.
... Le castor, la marmotte, la belette, le lièvre...
... Le lièvre ? mais un lièvre doit fuir un ours comme la foudre.

Nounours reste songeur quelques instants, puis devient tout triste. Il est assez vieux pour comprendre qu'on ne discute pas les lois de la nature. Même si l'ours préfère le gland, la pomme et le miel, il ne dédaignera pas le petit gibier en temps de famine. Ainsi cet innocent et gentil lièvre qui a partagé aujourd'hui ses jeux, pourrait l'un de ces jours constituer son repas. Il lève les yeux sur sa mère pour y chercher une émotion, un malaise : rien. La nature est vraiment très dure.

Puis soudain, l'Oursonne s'arrête, aux aguets. Nounours un instant a pu croire à son repentir.

... Fonds ta silhouette au paysage, qu'elle lui signifie dans son langage. Cesse de souffler par la gueule.

Les hommes ! Elle les a sentis. Sont-ils armés ? Quelles sont leurs intentions ? Son estomac crie. Son petit aussi a faim. Nounours vient de flairer la tentation de sa mère. Ce serait sa première chasse véritable. Deux hommes. Il panique. Puis il est pris de vertige. Il a reconnu Titoume, son copain. Il se glisse aussitôt entre les pattes de l'Oursonne et cherche à l'avertir : cet enfant-là est son ami, et l'autre...

... L'autre c'est le Métis, le plus grand chasseur de nos bois.

... Mais...

... Bouge pas. N'attaque pas avant mon signalement.

Nounours n'a pas l'intention d'attaquer du tout... Titoume et lui ont conclu un pacte l'autre jour...

... Chut !

Sa mère ne peut donc pas comprendre que la nature a beau s'appeler la nature, que les bois ont beau répondre à des lois inflexibles, que les ours et les hommes ont beau appartenir à des espèces différentes...

La mère-ourse part d'un bond en repoussant son petit d'un coup de patte, l'obligeant à rester deux pas derrière elle. Nounours, étourdi, a tout juste le temps de retrouver son souffle pour crier aux autres de prendre garde, quand il voit sa mère qui suspend son élan, ralentit et s'arrête : elle a flairé les betteraves et les courges épandues sur le sol. Une brouettée de légumes frais destinées aux ours de la forêt. Ce ne sont pas des plantes des bois. Quelqu'un leur en a fait cadeau.

... C'est Titoume, mère-ourse, c'est Titoume.

Titoume et le Métis regardent s'empiffrer les bêtes qui jeûnent depuis que les gens des buttes et des baies ont résolu de leur couper les vivres. Ils regardent manger les ours, à dix pas d'eux, et ne songent même pas à fuir ou à faire dans leurs culottes.

* * *

Nounours, repu, regardait se gaver les autres et leur rabattait les oreilles de ses exploits : d'abord il avait joué tout un après-midi avec le dénommé Titoume, tout comme dire le p'tit d'homme, puis l'avait reconnu dans le sous-bois et avait compris tout de suite que son ami l'avait fait exprès de leur apporter à manger, au péril de sa vie, on ne sait jamais, quelqu'un aurait pu se méprendre sur ses intentions et tenter de leur faire un sort à tout deux, car l'enfant n'était pas seul, justement il était accompagné d'un grand, le Métis au dire de sa mère, le plus grand et par conséquent plus dangereux chasseur de nos bois...

... Il va pas se taire ? grogne Courte-Queue qui n'arrive plus à s'entendre mastiquer.

Revenant-Noir, à ce moment-là, éprouve la nostalgie des temps à venir où les animaux, comme les autres, sauront sourire. Il éprouve par tout son corps un bien-aise tel, qu'il en oublie durant de longues minutes les sept plaies de l'été et de l'automne. Si seulement l'hiver pouvait s'amener maintenant, à l'heure où les siens viennent de refaire leur graisse, où ils ont repris espoir dans la nature et redonné leur confiance à la vie...

... Cherchez-moi point dans les alentours ni dans les jours à venir, que fait une Oursagénaire gonflée comme un tonneau, je m'en vas dormir.

Et en s'ébranlant, elle s'assure de bousculer sur son passage une couple d'oursons, une femelle grosse de trois mois, et le grand nigaud de Courte-Queue.

C'est alors seulement que les ours comprennent la prémonition de l'Oursagénaire. Ils lèvent la tête et reniflent le ciel chargé comme un ruisseau d'automne. Avant de s'égailler tous en quête d'un trou dans un tronc pourri, en-dessous des racines, au flanc d'une bosse dans la terre, ou sous un tas de branches sèches, ils s'envoient des manières d'adieu et de bonne nuit, une nuit qui durera jusqu'au printemps.

Nounours ne se tient plus de joie et de frénésie : son premier hiver. Et il se bourre la caboche d'images et de sensations pour nourrir des rêves de toute une saison.

... Le printemps qui vient, je serai un ours, qu'il fait.

Puis soudain apeuré :

... Quand je serai un ours, je serai-t-i' quand même encore Nounours ?

Tout la tribu éclate alors d'un joyeux grognement. Mais Nounours n'a pas le loisir de s'en formaliser : car il vient de sentir sur le bout de son museau son premier flocon de neige.

INTERLUDE

L'Oursagénaire se tourne et retourne, cherche à détacher sa croupe de ses flancs, s'embrouille la queue dans les pattes et les pattes dans le poil du ventre : elle n'arrive pas à dormir... Ce nid-là est trop petit, trop bas, trop étroit, trop n'importe quoi... trop creux, c'est ça, ça sent le renfermé, ça manque d'air. Et puis, l'hiver est bien trop long, de toute façon, c'est du temps suspendu où tout s'arrête, même les arbres, figurez-vous, qui s'arrêtent de pousser ! Si ç'a du bon sens, asteur ! Rien ne va plus. Et elle recommence à tourner, se retourner, se déboîter la croupe de l'échine, s'enfarger les pattes... Quand c'est qu'elle finira par s'endormir pour de bon ?

... Vous allez quand même pas me dire que c'est à l'heure où je me prépare à trépasser, bien roulée dans mon trou, parée pour le dernier souffle, qu'il faut encore un coup se dégourdir les pattes et partir à la chasse... Mais qui a parlé de chasse ? Tu divagues, vieille ourse, la saison

137

est fermée, on est au plus creux du temps mort de l'hiver. Mais alors ? ...Alors quoi ? ...Qui t'a appelée ?...

... Essaye de dormir, ma vieille, personne n'a bougé, personne ne t'appelle, tu rêves. Bon, je rêve. Je dors. J'oublie le monde juste au-dessus. De toute façon, il sera toujours temps au printemps de retrouver mes glands et mes racines enfouis pour l'hiver sous la neige. Des racines de hêtres qui produisent de la faîne. Et des glands de chênes. Des noisettes aussi. Et pourquoi pas des cenelles ? et des groseilles ? Des framboises ! Dors. La prochaine saison viendra toujours assez tôt.

Elle recommence à se creuser un nid en s'enroulant les flancs autour des reins, l'échine autour de la croupe, les pattes autour des oreilles et du museau...puis :

... Ça va faire !

Et elle se dresse d'un seul coup en faisant éclater le toit de son abri. Un abri qu'elle avait pourtant construit avec soin, comme chaque année. Le soin n'était plus pour l'Oursagénaire qu'une vieille habitude. Elle savait construire avec soin son nid parce qu'elle répétait d'année en année les mêmes gestes, trop lasse pour se donner la peine d'en inventer de tout neufs comme ses oursauds de rejetons qui en étaient rendus à se loger dans des tonneaux, hé oui ! et sous la charpente des ponts. Tout était bon pour épater le sous-bois. Mais l'Oursagénaire avait renoncé depuis longtemps à se singulariser, sachant d'instinct que sa seule existence, que d'aucuns avaient appelée sa personnalité, était déjà suffisamment singulière comme ça !

... Tiens, tiens ! c'est tout blanc.

Ozite ne dort pas. Si ça continue, elle fera des nuits de deux heures, puis d'une heure, puis plus de nuit du tout. À mesure qu'elle avance en âge, elle voit le temps se rétrécir. Par les deux bouts. Ses jours rognent sur ses nuits, ses nuits sur sa vie, sa vie... Si ça continue, le temps aura refoulé à pleine capacité, il n'en restera plus rien.

Il n'y a pas si longtemps, elle rêvait encore. Des rêves qui la faisaient reculer dans le temps. Elle retrouvait ses enfants, ses maris, ses parents ; la grand-mère Euphrasie qui avait fait le voyage à pied par les prés et les buttes depuis Memramcook ; son ourson déniché dans les bois et qu'elle avait élevé avec les autres comme s'il était lui aussi sorti d'un berceau ; son enfance, sa petite enfance, ses trois ans. Si fait, Ozite jure que ses souvenirs pouvaient la mener jusque-là. Il n'y a pas si longtemps, la centenaire a rêvé qu'elle avait retrouvé la petite Ozite de trois ans, peut-être cinq, toute frisée et joufflue, et qu'elles avaient eu ensemble une longue conversation sur leur vie commune. Ozite se rappelle l'avoir mise en garde contre certaines années, certains événements, certaines genses.

— Faut-i' ben faire des songes pareils ! qu'elle glousse en retournant ses vieux os dans son lit de plumes.

Elle sait qu'elle ne redormira plus. Autant se trouver une autre occupation. Et brusquement, elle se lève. Elle chausse des bottes fourrées, s'enfonce sur les yeux un bonnet de chat sauvage, rentre ses mains dans des mitaines qu'elle a tricotées elle-même, une maille à l'endroit, une maille à l'envers, durant les veillées d'automne, et se dirige vers la porte... quand elle songe qu'elle a failli oublier de se couvrir le dos et les épaules.

139

Alors elle plonge dans le coffre de cèdre et en déniche son rabat d'hiver.

— Il a fini de neiger, le ciel est tout clair d'étoiles.

L'une des étoiles allume un carreau de fenêtre du grenier où dort Tit-Jean à Margot. Pas une étoile, non, la lune. Elle est pleine, ronde, plus rouge que d'habitude. Ce n'est pourtant pas la lune des métives, on est au plus gros de l'hiver. Tit-Jean la fixe et se rend soudain compte qu'il est éveillé. Titoume-la-Marmotte, qui dormirait même sous un tremblement de terre — comme si la terre avait déjà tremblé au Ruisseau-de-la-Rivière et comme si le Titoume connaissait ça ! — voilà qu'il a les deux yeux ronds de la chouette en train de se demander d'où peut bien venir ce crissement sur le verglas, quelle bête des bois a bien pu décider de sortir de son terrier après minuit pour venir se mirer les pattes au clair d'étoiles.

Il se lève, se glisse sous la lucarne, mais ne voit rien. Rien que la nuit bleue striée de squelettes noirs. Une nuit au teint pâle et à la peau gercée.

Il retourne se coucher. Pas sur une paillasse, mais dans un lit de plumes. Le grand luxe d'hiver. Il creuse son trou dans le duvet et recherche d'instinct la position fœtale. Depuis qu'Ozite se donne la peine de grimper jusqu'au grenier pour le faire tourner sur le dos — un enfant de son âge n'a pas affaire à dormir sur le ventre — il lui arrive souvent de se retrouver à mi-chemin entre l'homme et l'enfant, entre l'enfant et le fœtus.

... Avant sa naissance, il a sûrement connu en compagnie de sa mère des moments de doute

140

ou d'hésitation à venir au monde. Car chaque fois qu'il s'endort ainsi enroulé sur lui-même, il fait des rêves troublants et qui le laissent tout en sueur. Il rêve qu'il est seul devant une porte close qu'il s'acharne à défoncer, les mains nues, ou armé seulement de sa fronde ou d'un couteau de poche. Il sait qu'il doit entrer ou sortir, que c'est une question de vie ou de mort, que de l'autre côté se trouvent le Métis et Ozite...

Le cri de joie d'Ozite qui le reçoit à coups de tapes sur les fesses le réveille. Et il se retrouve encore un coup trempé de sueur ou de...

— Maudite marde !

Il se lève, contemple avec dégoût la tache gluante au milieu du drap, arrache les couvertures du matelas et jette de nouveau un œil à la lune trop rouge. Et c'est là qu'il la voit. La silhouette. Dans la lune, il aperçoit la silhouette d'Ozite. Il sait bien que cette vision n'est que la queue de son rêve, qu'Ozite est bel et bien en train de causer avec ses morts du fond de sa couette, comme chaque nuit, qu'il n'a qu'à l'appeler et qu'elle lui répondra encore une fois d'arrêter de déranger le sommeil des trépassés.

— Grand-mère !

... Fais point la morte, Ozite, je sais que t'es là.

— Ozite !

Il descend, à reculons dans l'échelle. Ça ne bouge pas.

— ...Grand... mè...re....O...zite...

Il retient son souffle et y va. Le lit est vide. Il respire. Un mort ne s'envole quand même pas tout seul au cimetière. Mais où diable a-t-elle pu passer, la bougresse ? ...à la bécosse ? Il sort et fait le tour de la maison. Deux fois le tour. Puis se rend jusque chez le Métis.

— Quoi c'est que le revenant ?

C'est alors seulement que l'enfant aperçoit sa tête dans la glace, et pendue à cette tête ébouriffée, une combinaison d'hiver gelée dure contre lui.

Revenant-Noir entendit la balle siffler juste au-dessus de son abri. Pour l'arracher à un sommeil si doux, fallait que le chasseur soit quasiment assis sur le tas de branches mortes qui lui servaient de toit... Un braconnier encore, qui chasse la nuit. Sous les projecteurs, le gibier n'a aucune chance. Ces choses-là ne devraient pas être permises... Elles ne sont pas permises, Revenant-Noir, les braconniers ne jouent pas franc-jeu. Ce sont des hors-la-loi-des-hommes. Mais pour une fois, il n'a pas à craindre pour les siens : en hiver, les ours dorment. Celui-là suit les pistes de la belette ou du renard, pour la peau ; ou du coyote pour le seul plaisir de la chasse. Quant aux ours, tous sont engourdis de sommeil et ne craignent rien. Ça prendrait un moyen faraud de chasseur pour oser réveiller l'ours qui dort... Reste tranquille, Revenant-Noir.

... Pourquoi l'image de sa mère continue-t-elle à clignoter dans sa tête ?...Sa mère, la lourde, la butée, la fantasque Oursagénaire ! Se rendra-t-elle au printemps ? Ça serait du jamais vu dans nos bois. Mais ce ne serait pas le premier geste singulier de la vieille. Elle serait capable, la faraude, de les expédier tous au paradis des ancêtres.

L'Ours a sorti la tête, puis les pattes d'en avant, puis le gros du corps de son abri, pour renifler l'air. Sa mère a l'habitude d'occuper le

142

trou d'en face, au pied du chêne... pauvre chêne ! pour ce qu'il en reste. Elle est sûrement encore en vie, car sa carcasse puerait... quoiqu'en hiver... Mieux vaut vérifier. Et il vérifie. Et revérifie. Aurait-elle décidé à la dernière minute de déménager ses pénates ? Avec elle, on pouvait s'attendre à tout.

La balle cette fois lui frôle l'oreille. Revenant-Noir n'avait pas eu le temps d'ajuster ses narines aux grands froids de février, et n'a pas flairé l'homme. Il plonge sous les arbres. Où est-il ? Cette nappe blanche le désoriente... Retrouve tes sens, l'Ours, ne t'égare pas surtout. Et songe à ne pas laisser se découper ta masse noire contre la neige bleutée de nuit.

Loup-Joseph croyait viser un faon, un loup tout au plus ; et quand il se rend compte que cette sombre masse répond à la silhouette de l'ours, il a un léger frisson le long de la colonne. Puis il se souvient qu'il s'est armé de la carabine de son frère, à tout hasard, et non pas de son vingt-deux, bon pour les lièvres et les porcs-épics. Un ours en hiver ! c'est du gâteau. Celui-là ne lui échappera pas... Suis ses pistes, Loup-Joseph.

... Des pistes d'hommes. Toutes fraîches. Attention, Revenant-Noir, n'y a pas qu'un seul chasseur dans les bois cette nuit. Cette lune les a tous rendus fous. Renifle bien. Ces pas viennent du sud-est, du côté des buttes ; ceux-ci, du Ruisseau-de-la-Rivière...de la Crique... le Métis !... le Métis est sorti en pleine nuit, accompagné de quelqu'un...ils sont deux. L'un des groupes tourne en rond, ses pistes se croisent, recoupent celles de l'ours, le talonnent... Éloigne-toi, Revenant-

Noir, fais des bonds de six pas, dix si tu peux, dégourdis l'huile figée de tes pattes, désoriente le chasseur, saute.

Il saute et sort du bois, imprimant en plein champ ses pas en forme de crêpes qui ne trompent personne. Où donc a-t-il la tête ? La pleine lune s'amuse à remplir chaque rond de crêpe de ses rayons qui dansent comme des feux follets et se rient du monde.

Le Métis se tient les côtes : et son rire dégringole en bas de la colline, comme l'écheveau d'Ozite qui s'endort sur son tricot.

— Tu vois ce que je vois ? qu'il dit au Titoume.

Et il lui fait tourner la tête du côté des roulis de neige, en bas du champ, où l'enfant finit par distinguer la forme de Revenant-Noir.

— On dirait qu'il danse ! que s'exclame Titoume.

— Il recule, s'extasie Simon le Métis qui, en vingt ans de chasse, n'a encore jamais été témoin de pareil phénomène. Pas plusse qu'un aéroplane, on a déjà vu un ours avancer de reculons.

L'enfant en a la bouche ouverte. Puis il comprend et s'exclame :

— C'est pour nous embrouiller ?

— Pour embrouiller le Loup-Joseph qui braconne la nuit. Regarde.

Et de nouveau il dévisse la tête de l'enfant. Alors Tit-Jean peut voir, en haut de la colline, un chasseur perplexe qui vient d'atteindre le bout des pistes de l'ours, comme si l'animal s'était tout à coup évaporé. Et à son tour, l'enfant éclate de rire.

144

— Ça y apprendra à chasser les fi-follets, la nuit !

Puis il se ravise : il vient de se souvenir qu'il est lui-même en quête d'un feu follet, la vieille coureuse d'Ozite.

— Crois-tu que l'écervelée aurait eu l'idée de venir mourir dans les bois ? qu'il risque du fond d'une gorge enrouée.

Simon le Métis continue de contempler le ballet de l'ours et du chasseur sur la colline, et pour distraire l'enfant :

— Pas seulement il marche à reculons, mais dévale à reculons les buttes. N'importe quel chasseur sait qu'un ours qu'a tous ses esprits descendra pas une butte s'il peut faire autrement. Pour une fois, Loup-Joseph-la-Fouine a trouvé son maître.

Tit-Jean rit de plus belle et en oublie même les fugues de son infatigable centenaire.

Ozite et l'Oursagénaire occupent le même rayon de pleine lune, sur l'emplacement de leur premier rendez-vous, en haut du champ de maïs. Mais le champ est recouvert d'une nappe blanche et n'offre aucun repère aux yeux de la femme ni aux narines de l'ourse. Pourtant les vieilles semblent avoir retrouvé tout de suite le cadre de leurs souvenirs communs, telles deux commères sur un perron mitoyen.

L'Oursagénaire, en sortant dans la nuit, avait été aussitôt capturée par la pleine lune. Elle avait eu beau s'essouffler dans d'incroyables gymnastiques pour sortir de l'éclairage, le rayon la poursuivait comme le phare d'un braconnier. Elle tournait la tête sur ses gonds, secouait son moignon de queue, grichait son poil dans tous les sens, cherchant à balayer de son dos cet effronté faisceau lumineux qui l'allumait comme une comète... Lâche-moi, tannante !

Ozite, au contraire, cherchait à s'y maintenir, la lune lui servant de guide et de compagnie. Durant ses trente ou quarante dernières années, la centenaire s'adonnait volontiers au culte de son choix : un mélange d'animisme et d'iconoclasme où elle s'amusait à brûler ce qu'elle avait adoré et adorer ce que tant d'autres avaient brûlé.

Cette nuit, elle adorait la lune.

... Tu pourrais peut-être me prendre en croupe, qu'elle ricanait en secouant ses épaules osseuses couvertes d'un large manteau de drap. Et tant qu'à faire, prends donc aussi quelque vieil animal de mon âge, ça me fera de la compagnie.

C'est à ce moment-là que le même rayon avait conduit l'une vers l'autre Ozite et l'Oursagénaire.

... On vous voit point souvent l'hiver, que fait la femme.

L'Oursagénaire renifle, reconnaît Ozite, puis riposte :

... Et vous, pas souvent la nuit.

La femme glousse, l'ourse grogne et s'esbroufe. Elles sont seules sous la lune, sans tribu ni famille à leurs trousses, sans petits à charge, libres soudain comme des coquettes en émancipe.

... Vous étiez comment, 'tant jeune ?

... Je faisais point lever le nez à personne. J'ai même eu deux hommes... l'un après la mort de l'autre.

... Moi j'en ai achevé plusieurs, sans le faire exprès.

Ozite sait qu'elle parle des ours mâles, non des hommes. Et quand ce serait des hommes... il vient un âge dans la vie où les hommes, les ours, les arbres, les cailloux, les étoiles... Tiens ! l'une vient de filer, Ozite a eu le temps de la voir. Pas l'Oursagénaire avec sa myopie de taupe. Mais elle a quand même senti quelque chose la frôler, comme un pressentiment.

... C'était quoi ?

... Une étoile filante.

... Elle a filé où ?

Ozite la dévisage, puis :

... Je me figure qu'on s'en va tous au même endroit.

L'ourse ne répond pas. D'ailleurs elle ne se souvient déjà plus de la question. Elle ne se souvient plus de grand-chose depuis un certain temps, sinon d'un passé très lointain et d'une espèce d'avenir... un genre de destinée... une sorte d'aboutissement...

... Vous espérez la fin des temps ? qu'elle laisse aller brusquement dans un grondement qui fait sursauter Ozite.

La fin des temps ? Ozite est-elle sûre d'avoir bien compris ? L'ourse doit sentir sa fin prochaine... à son âge... l'âge d'Ozite. Mais Ozite n'imagine pas que les temps vont finir avec elle. Tit-Jean lui survivra, et le Métis. Même la Marie-Jeanne des Belliveau, en dépit de ses rhumatismes et de ses troubles chroniques aux boyaux. La Rivière survivra des siècles et des millénaires à Ozite, ainsi que la forêt et les étoiles. Est-ce possible ? C'est donc vrai pour vrai que le monde va continuer son petit bonhomme de train-train sans Ozite pour le saluer de son châssis, chaque matin, ou pour lui arracher ses secrets et lui faire des cachotteries ?

L'Oursagénaire regarde Ozite jongler avec ses idées et se dit que les hommes ont bien de la chance de pouvoir aspirer... elle ne sait même

147

plus à quoi : l'image floue d'un quelque chose qu'on ne connaît pas, qu'on n'a jamais aperçu en forêt ni nulle part, a jailli sous son crâne pour disparaître aussitôt. Elle voudrait retrouver son rêve, s'arracher à la pesanteur, rejoindre Ozite en train de converser avec la lune et les étoiles et les ancêtres qui se cachent quelque part dans le temps... L'effort de l'Oursagénaire pour grimper d'un échelon, ne fût-ce qu'une nuit, l'échelon qu'a franchi Ozite il y a sûrement des milliers de printemps, l'épuise et elle se laisse tomber dans la neige comme une masse trop lourde même pour les dieux.

... Les dieux ! ricane Ozite. Faudra bien qu'entre eux ils se fassent une idée : si le sort qu'ils me réservent de l'autre bord est point à mon goût, je serais femme à leur fausser compagnie.

... Vous avez l'intention de rentrer bientôt ?

Ozite ne répond pas. Car elle n'est pas sûre des vraies intentions de l'Oursagénaire. Rentrer où ?

Elle approche la tête pour lui poser carrément la question, quand elle aperçoit en bas de la butte son grand lingard de Métis accompagné d'un enfant qui flotte dans un manteau d'homme et qui cherche à soulever des galoches trop grandes pour lui.

— Faut-i' ben ! qu'elle fait. Ils me lâcheront donc jamais !

Ozite a parlé tout haut et fait bouger la tête de l'ourse qui a aussitôt repéré du museau son oursaud de fils.

... Pas encore c'ti-là ! Une vieille ourse peut donc plus s'en aller effilocher ses restants de vie sous la lune la nuit, en compagnie de son choix, hors des bois et de son trou ! On pourrait pas la laisser tranquille ?

De loin, les hommes envoient la main à Re-venant-Noir, manière de lui laisser entendre qu'on n'est pas venus pour la chasse, mais pour la vieille ; tandis que l'Ours, en bas de la colline, gronde après sa dévergondée de mère qui n'a même pas l'air de se rendre compte. Puis le Métis et Ti-toume se tapent joyeusement les cuisses en aper-cevant dans le rayon de la pleine lune un Loup-Joseph complètement désorienté devant des pis-tes aussi indéchiffrables que la parenté des cinq branches de la Rivière de l'arrière-pays, ou de la vaste tribu d'ours sortie des flancs de l'Oursagé-naire.

En rentrant au logis, suivie de près par ses achalants de gardes du corps, Ozite jette un dernier coup d'œil à la lune :

... N'oublie point de venir la chercher le même jour que moi, qu'elle fait en calouettant des deux yeux.

Puis elle envoie tout le monde se coucher.

DEUXIÈME PARTIE

I

Nounours est furieux. Tout s'est passé derrière son dos, pendant son sommeil. Son père y était, l'aïeule, les hommes et Titoume, son copain, tous sortis dans la nuit, en plein hiver. Mais pas de Nounours. Personne n'avait eu l'idée de le réveiller. Il en rage. C'est donc pour ça qu'on l'envoyait dormir ? pour faire des choses à son insu ? Comment son ami le Titoume a-t-il pu laisser faire ça ? Et de nouveau il donne des gifles à l'air du temps.

... Tu gaspilles pour rien ton meilleur crachat, idiot, lui laisse entendre le nigaud de Courte-Queue dans sa langue d'ours... Et pendant ce temps-là, tu vois même pas pousser les bourgeons aux nœuds des branches.

... Des bourgeons ? c'est quoi un bourgeon ?

Courte-Queue en reste la gueule ouverte, tandis que les oursonnes et le Vieil-Ours-qui-Traîne-la-Patte s'amusent de l'ignorance du petit qui, après son premier hiver, découvre son premier printemps. Mais Nounours n'en continue pas moins à faire la moue. D'abord il doit s'avouer que l'hiver l'a déçu. Du temps mort où il ne se passe rien. Si, quand même : il a rêvé. Il se souvient... puis ne se souvient plus. Des rêves, ce n'est pas du solide comme la vie, comme le jour sous le soleil où un ourson tel que lui court de découverte en découverte, puis de merveille en éblouissement.

... C'est quoi un bourgeon ? répète Nounours qui a reçu en droite ligne de l'ancêtre Oursagénaire la forme d'intelligence propre aux ours et qui est un mélange assez réussi de mémoire, d'instinct des choses, et d'un incurable entêtement.

Le vieux Boiteux jette un œil attendri du côté de l'ourson et se dit que celui-là pourrait un jour surprendre, peut-être dépasser les meilleurs espoirs de la tribu. Et il entraîne Nounours au plus creux de la forêt pour l'initier au nouveau visage de la nature. Cette année pourtant ne donnera pas un printemps comme les autres. À cause de l'incendie. La plupart des nouvelles pousses ne sortiront pas des arbres comme d'accoutume, mais directement de la terre. Les ours jouiront d'une forêt toute neuve...

... Chic ! s'exclame Nounours.

... mais qui pourrait prendre du temps à pousser.

... Combien de temps ?

... Pour arriver à maturité, une vie d'ours.

Nounours sent sa babine inférieure lui tomber dans la gorge... Une vie d'ours... c'est toute sa vie à lui ! Il ne connaîtra donc jamais le monde en plein épanouissement, il ne vivra pas l'âge d'or de sa forêt natale, il ne sera jamais qu'un animal de second ordre, un ours d'en bas... !

Le vieux Boiteux voit l'ourson, tantôt si fier et ardent, rentrer la queue entre les pattes et se refouler les narines au fond du museau. Pauvre petit qui ne connaît encore rien à la cruauté de la vie et à la lente évolution du monde ! Il en fait pourtant partie, de ce monde-là ; et la vie, il l'a reçue, tout de même ; il a réussi à la sauver en plein cœur du plus grand fléau des bois. Cette chance ne fut pas accordée à tout le monde, pas à ses frères, en tout cas, sortis des mêmes limbes que lui.

... C'est quoi, des limbes ?

L'Ours-qui-Traîne-la-Patte préfère retourner aux bourgeons, plus accessibles à son intelligence... Un bourgeon, tu comprends, c'est un petit d'arbre, comme tu es un petit d'ours, mais qui devra passer par la feuille, le fruit, la graine de semence qui tombe en terre, germe et repousse... c'est long.

... C'est long un arbre, que fait Nounours pour bien laisser entendre qu'il a compris. Puis :

... Ça vient aussi des limbes ?

À la tombée du serein, en ce premier jour de printemps, Nounours, épuisé, n'opposa aucune résistance à sa mère qui l'envoyait au nid. Il avait vécu la plus longue journée de sa vie. La forêt a beau être en ruine, elle va renaître de ses cendres. Guidé par le Boiteux, Nounours avait appris à nommer les arbres, distinguer la fougère de l'aulne, tracer des sentiers dans la broussaille, dénicher les abeilles sans se faire piquer aux fesses. Il avait trotté, galopé, fait des bonds de trois puis cinq pas, des sauts en hauteur, des roulades, croupades, bascules, cabrioles, et sauts périlleux.

155

Puis le lendemain, il réveilla tout le bois de ses cris :

... J'ai faim !

Bien sûr qu'il avait faim, tous les ours avaient faim. L'hiver est un long jeûne qui nettoie les hibernants de leur graisse.

Et le clan tout entier partit à la chasse.

* * *

Marie-Jeanne sortit d'abord le nez, puis toute la tête, enfin le reste de sa personne du châssis de sa lucarne pour s'assurer que le mois d'avril ne ferait pas marche arrière, qu'il était bien engagé dans le printemps, et qu'elle pouvait commencer à préparer ses plants de tomates. Elle en avertit la femme de Loup-Joseph et la dame Zéphire qui n'en croyaient pas leurs oreilles... semer au mois d'avril !... mais qui finirent par se procurer aussi des graines et, pour ne pas être en reste, s'en furent bêcher et déchaumer la terre. Bientôt Modeste — celle que Tit-Jean à Margot devait pour les raisons que l'on sait appeler sa tante — les rejoignit au champ. Un champ en friche qui avait appartenu successivement aux Léger, aux Belliveau, de nouveau aux Léger, pour finir propriété de la paroisse qui avait eu l'intention, dans le temps, de l'aménager en terrain de jeu. Mais comme les intentions de l'Église d'ordinaire demeurent longtemps à l'état d'intentions, le terrain de la paroisse restait en friche et continuait de s'appeler le champ des Léger, des Belliveau, ou de la Butte-aux-Oies. En somme le champ à tout le monde.

Premier arrivé, premier servi : telle était la loi qui gérait les propriétés collectives du sud,

sud-est, et sud-sud-est de la Rivière, et qui arrachait si énergiquement les femmes du pays à leur train-train de l'hiver dès les premiers signes du printemps. Alors commençait la course aux terrains vagues, aux terres en friche, aux champs à tout le monde, comme si chaque maison des buttes et des anses ne possédait pas déjà son lot de jardins potagers, et comme si la terre arable manquait dans un pays qui ne défrichait que depuis deux siècles.

— Premier arrivé...

Et la femme à Zéphire encercla des yeux la partie du champ qu'elle venait de conquérir à la pointe d'une fourche à quatre dents. Marie-Jeanne, qui n'était plus en âge de partir en guerre, se contenta d'un lot de dimension plus modeste mais presque entièrement dépierré.

— Avec mes rhumatismes, s'i' me fallait en plusse me bailler un tour de rein !

Les autres se partagèrent l'orée des buissons, des broussailles et du bois.

Les chasseurs, durant ce temps-là, huilaient leurs fusils pour la saison du printemps. Octobre et mai, les deux plus beaux mois de l'année pour ces enragés de la forêt.

— M'est avis, risqua Grand-Galop, que la faim c't'année fera sortir ben des loups du bois.

Et tout le monde comprit que le chasseur ne songeait pas tellement au loup. Alors Loup-Joseph, qui avait un compte à régler avec Revenant-Noir qui, une nuit de pleine lune, s'était si joyeusement moqué de lui, garnit sa ceinture de trente-six balles et de trois couteaux bien affûtés.

Zéphire rappela quand même aux autres certaines lois fondamentales d'éthique et de fair-play : l'incendie avait en quelque sorte changé les règles du jeu, et obligeait les chasseurs à plus de discrétion. Ne pas oublier que les chevreuils et les ours pouvaient se sentir menacés dans leur survie et que...

— ...Et qu'ils pourraient s'en venir manger dans notre cour, d'enchaîner Loup-Joseph.

Puis Grand-Galop :

— Et ça, c'est comme viser le canard directement de ta galerie.

Cette conversation fut rapportée au Métis par le Titoume qui l'avait reçue d'un camarade de la cour d'école. Le petit Léger défendait son père qui avait tenté de défendre le droit des animaux sauvages :

— Sans bêtes dans les bois, la forêt perd la moitié de sa valeur, qu'il a dit mon père.

En fidèle fils de son père, le jeune Zéphire tenait beaucoup au patrimoine ancestral. À commencer par le pont couvert. Quoique là-dessus, Tit-Jean à Margot comprit mal qu'une seule famille puisse se réclamer de tout un pont, même couvert.

— Laisse faire le pont, que répond Simon le Métis. Tu dis que le Loup-Joseph et le Grand-Galop ont déjà commencé à netteyer leurs fusils ?

— Ces fous-là pourraient même s'amener avec des trappes.

— Je vas leur en faire, moi, des trappes.

— Ozite conte que l'an dernier, avant le feu de forêt, certains gars des buttes auraient eu tenté d'attraper les ours autrement qu'au fusil.

— D'où c'est que la vieille tient ça ?

— Du grand Cyrille.

Simon se gratte l'oreille.

— Le grand Cyrille aurait point eu l'intention toujours de venger son bras ?

— S'il a pris la peine d'en avertir Ozite, c'est pas lui qui a l'idée de mal faire. Pis Ozite conte que le grand Cyrille y a parlé de la vieille ourse, celle qui sort la nuit sous la pleine lune.

— L'Oursagénaire : la sacrée vieille fantasque ! que glousse Simon le Métis. Le jour qu'elle crèvera, celle-là, Ozite va y faire chanter une messe haute, diacre sous diacre.

Et les deux amis s'esclaffent.

* * *

C'est le Vieil-Ours-qui-Traîne-la-Patte qui dut instruire Nounours sur la conduite de son père. Au printemps, un ours mâle qui passe cinq ans s'en va courir la galipote. Et Revenant-Noir a déjà connu douze soleils au moins.

... Courir la quoi ?

Il l'apprendrait petit à petit. Pour l'instant, un ourson de son âge devait assurer sa propre survie, non pas celle de la race.

... Qu'est-ce qu'il fait dans la galipote, Revenant-Noir ?

Le vieil ours grogne n'importe quoi, puis entraîne le petit hors du bois, en quête de nouvelles pousses et de brindilles. Le printemps est la pire saison pour les animaux sauvages, contrairement à la croyance et malgré l'enthousiasme béat devant la splendeur et la renaissance de la nature.

... Encore une lune avant les premières baies et petits fruits sauvages ; deux lunes avant les sauterelles et les grillons ; toute une saison avant la faîne, les noisettes et les glands. En attendant, faudra se débrouiller, petit ; un ourson d'un an ne doit plus compter sur sa mère.

Et Nounours boude. Il a compris. Sa mère ! Il l'a vue traîner trois petits entre ses pattes, puis les nourrir et les cajoler. Des petits rats. Ses frères. Il a des frères maintenant. Nés sous une souche renversée, au plein cœur de l'hiver.

... Tu devrais être content. La vie continue.

La vie ! la vie ! mais la seule vie qui lui importe c'est la sienne, celle d'un ourson d'un an qui a déjà vécu un feu de forêt, une escarmouche au dépotoir, une hibernation, une merveilleuse amitié avec un petit d'homme...

... Titoume !

Nounours savait où trouver son ami : en haut du champ de maïs, hors du bois. Dans le bout des cormiers au creux des vergnes. Titoume ne manquerait pas d'y venir. Le printemps est le même pour tout le monde. Les enfants des hommes doivent aussi sentir le besoin de se refaire le pelage, ou la peau, et de s'en aller gambader dans les buissons. Ils partiront ensemble, les pattes dans les pistes, reniflant le même parfum de résine et de gomme de bois, chassant les mêmes têtards aux abords des ruisseaux.

Mais le pauvre Nounours n'avait pas compté avec l'école ; car pour un ourson, toute la semaine est samedi. C'est ainsi qu'il dut guetter Titoume durant trois jours.

— Nounours !

... Titoume !

Enfin !

Et le beau temps commença. Les bois, les champs, les broussailles, les prés, les criques, les collines, les sentiers, les aulnes, le monde était trop petit pour les deux plus grands explorateurs

160

de ce printemps qui suivit l'année du feu de forêt en haut de la Rivière. Aucun Métis, aucune Ozite, ni aucune bête des bois ne pouvaient empêcher l'émancipation de ces deux êtres qui de jour en jour s'approchaient dangereusement l'un de l'autre, à en confondre les espèces et en bafouer la nature.

Puis un jour :

— T'as vu, Nounours, cette bande de femmes pliées en deux en haut du champ ? Je crois que ça plante des choux pis des patates par là. Si j'avais des griffes comme les tiennes, j'aurais point besoin de bêche pour déterrer.

Nounours en avertit la forêt le soir même.

II

Marie-Jeanne ne savait plus sur qui déverser sa colère. Elle avait l'habitude de s'en prendre à des hommes, des voisines surtout, à l'occasion au prêtre ou au gouvernement ; mais pas aux animaux sauvages. Dans quelle langue va-t-on fustiger ces effrontés des bois qui s'en viennent dévorer le bien d'autrui ?

— Plus une seule motte de terre qu'a point été revirée six fois. Une vraie compassion.

— C'est la marmotte, clame la Zéphire.

Mais la tante Modeste secoue la tête :

— Une marmotte ? C'est pas là de l'ouvrage de marmotte. Si vous voulez mon dire...

Et tout le monde comprend. Car Modeste s'est révélée à l'automne la plus acharnée des anti-dépotoir-au-trécarré, l'ennemie la plus déclarée des ours.

— Faudra voir à ça, conclut la Marie-Jeanne pour apaiser sa rage et se soulager l'estomac.

On commença dès le lendemain à voir à ça. Grand-Galop savait fabriquer des pièges capables d'attraper un archevêque en tournée de confirmation.

— ... ?

— Hé non, la vieille ; personne songe à prendre un archevêque au piège. C'est juste une façon de parler.

— Juste une manière de dire que les ours ont besoin de se tenir loin de nos carrés de labour.

Ozite sort sur son devant de porte pour flairer le temps : le mois de mai est-il bien avancé ? Quand c'est donc que la rhubarbe commencera à se pointer chez les Zéphire ? Faudrait envoyer le petit en tournée de reconnaissance par les buttes. Qu'est-ce qu'il projette ces temps-là, le vaurien, qu'il ne passe pas une heure tranquille au logis à ragorner des écopeaux ou redresser les clôtures de lices ? Et les châssis doubles, faudrait bien les ranger au hangàr jusqu'à l'hiver prochain. Qu'est-ce qu'il fabrique pàr les prés et les broussailles, l'enfant de Dieu ?

— Ah ! te v'là. Où c'est que tu t'en fus comme ça, traîneux de chemins ?

— Pas grand chemins dans le boutte où c'est qu'un homme peut traîner sa peau.

Il a dit un homme ! Sainte Mère de Dieu ! Il serait point rendu à se prendre pour un homme, le petit morveux. Ç'a à peine dix-onze ans et ça songe déjà à faire l'homme !... Calme-toi, Ozite, il est là, près de toi, accroché à ton coin de tablier, un garnement qui pisse encore au lit. Et dès demain, il ira prospecter la rhubarbe dans le potager du Zéphire, comme d'accoutume.

164

— Choisis-moi-z-en de la mince, haute et rouge, qu'elle fait sans même la nommer.

Il a l'habitude et ne confondra pas la saison de la rhubarbe et celle des pommes ou des citrouilles. D'ailleurs il aime bien trop la confiture... la confiture ?... c'est rare qu'il parvient, le pauvre petit, à s'en régaler. Elle finit d'ordinaire au trécarré avant que ses hommes ne réussissent à y tremper les babines... Tiens ! voilà qu'Ozite elle-même vient de l'appeler un homme. Faudra bien, vieille toquée, que tu te fasses un jour une raison.

— Quoi c'est que le poil que t'as sous le nez ? Tu pourrais pas te décrasser la face mieux que ça, sargailloux ?

Tit-Jean court devant la glace qui pend au-dessus de la pompe et se passe les doigts sur la lèvre, et la paume sur le menton. Elle a rêvé, la vieille : il n'a rien sur les joues ni sous le nez, rien qu'une peau rêche et tannée par le printemps.

Soudain... qu'est-ce qui lui a pris !... l'enfant attrape les deux épaules de la centenaire et plante ses yeux pers au fond de la toile d'araignée.

— D'où c'est que je viens, grand-mère ?

Ozite n'a pas bronché. Comme si elle attendait ce cri-là depuis toujours. D'où est-ce qu'il venait, l'enfant ? d'où venons-nous tous ? et après ? qui ira où ? Elle a connu si peu de gens dans sa longue vie, qu'elle pourrait bien s'accorder le droit de les retrouver là-bas, au-delà, bien aises et bien-portants. Ça ne causerait point d'encombrement de l'autre bord. Retrouver ses enfants et le Tit-Jean, tous du même âge, tous de la même pâture de monde, tous ensemble pour l'éternité. Et parmi ses parents, une couple de vieilles oursagénaires comme elle... ou comme l'autre...

— Simon et Marguerite...

Elle sursaute. L'enfant ne peut s'empêcher d'unir ceux que la vie a séparés, injustement.

— Qu'est-ce qui les a arrêtés de se marier ?

— Ta mère est morte trop tôt.

— Morte en couches ?... c'est ma faute ?

... La faute de son père, pauvre petit.

Tit-Jean s'enfonce de plus en plus loin dans la broussaille qui couronne la tête de la vieille.

— Le Métis un jour va tuer quelqu'un.

— C'est lui qui t'a dit ça ?

— Han-han.

— Ben du bousillage pour rien. Faut point frayer avec la Faucheuse, c'est une garce. Pis c'est elle qui aura le dernier mot de toute façon.

L'enfant cherche à suivre Ozite, une Ozite de plus en plus énigmatique et détachée.

— La vie, qu'elle dit, est pas donnée à tout le monde, ça fait que faudrait point en priver ceux-là qui en ont hérité.

L'enfant se sent perdre pied, et pourtant...

— C'aurait pu se faire que je vienne point au monde en toute.:. ?

— Toi pis moi pis tous les autres, on tient à un cheveu ; sans compter qu'on aurait pu être nés tortue, chat-cervier, tête-de-matelas, épi de blé d'Inde, canne de rhubarbe... Quand c'est que tu vas me qu'ri' de la rhubarbe dans le champ des Zéphire ?

Il a appris du Métis à ramper le long des clôtures, comme une belette, puis à s'emparer de la rhubarbe sans écraser les framboisiers en pousse. Le Métis, quant à lui, avait tout appris des animaux sauvages. Tit-Jean pouvait donc s'enorgueillir de descendre en ligne latérale des bêtes des bois. Il savait bramer comme l'orignal, hululer comme la chouette, ou se taire comme le loup pris au piège.

— Hey, tit-gars, sors de là !

L'enfant s'aplatit sur le ventre. Puis il lève la tête et découvre à deux pas de lui la gueule ouverte d'un piège à ours. Au même instant, il aperçoit Grand-Galop, debout sur un toit de hangar, qui lui fait des signes désespérés et menaçants.

— Ça te fait rien de perdre un bras ou un pied, vaurien ?

Tit-Jean part d'abord à reculons, puis ramasse ses jambes et s'enfuit. En traversant le «champ à tout le monde», où les femmes s'en étaient venues planter, il s'arrête d'un coup sec, et montrant le poing de loin au piégeur d'ours :

— Enfant de chienne !

...puis s'en va directement chez le Métis.

— Si y en a au pied des bouchures, y en a partout.

Le Métis acquiesce. Pas de temps à perdre. Et les deux partent à la chasse aux chasseurs. Ils s'avancent prudemment, comme des dépisteurs de mines, en silence, et serrés l'un contre l'autre. Simon retient Titoume par le bras pour ne pas le laisser s'emballer à la moindre motte suspecte... tout doux, fiston... ne pas le laisser se prendre pour un ours.

— Une trappe, ça sent-i' ?

— Tu veux savoir si un ours sentirait le piège ? Je crois pas ; hormis, peut-être bien, Revenant-Noir. Il le sentira pas du museau, mais d'instinct.

— Ça ressemble à quoi, l'instinct ?

Simon est pris à son propre piège. À force de jouer au savant avec son protégé, il finit par

167

s'enfarger dans ses idées et ses mots. Surtout dans ses mots. L'intelligence ? la ruse ? le flair ? c'est quoi au juste ce sixième sens des animaux ?

— Ça pourrait ressembler à de la peur qui te force à te mettre sus tes gardes, ou du pressentiment qui te dit d'avance ce que tu peux faire ou pas faire.

* * *

Revenant-Noir fut arraché subitement à sa lune de miel par les grondements acharnés de deux ou trois oursonnes qui venaient directement de la clairière... Elles avaient repéré des pièges en plein champ, le champ de pommes de terre et de jeunes plants de tomates qui les nourrissaient depuis leur sortie de l'hiver... des pièges gros comme des charrues, sans mentir.

C'était bien le restant !

Et Revenant-Noir abandonna à regret sa femelle pour rejoindre en toute hâte le clan. Un clan surexcité et en complète débandade. Et au beau milieu des troupes, nul autre que Nounours qui s'exerçait à faire la loi. Il avait des droits, c'est lui qui était tombé dedans... quasiment... en fait, il avait été conduit aux pièges par son ami le petit d'homme qui l'avait mis au courant des intentions barbares des chasseurs.

... Des pièges avec des dents, qu'il ajouta à la face des nouveau-nés ses frères pour les endurcir à la vie.

Et les petits rats plongèrent dans le poil du ventre de leur mère-ourse en poussant des cris aigus.

C'est alors que Revenant-Noir entreprit d'enseigner aux jeunes et aux moins jeunes, Nounours compris, les chose à faire et à ne pas faire.

Un piège, ça ne sent rien, ça ne s'entend pas, ça se voit. Or l'ours, de par sa myopie, peut ne pas l'apercevoir à temps. D'où son besoin de redoubler de prudence.

... À commencer par éviter les champs, qu'il gronde.

... Quoi ?

L'Oursagénaire encore ! l'Oursagénaire disparue, ou qu'on avait crue telle, depuis l'entrée du printemps... Disparue, elle ? et pourquoi ? Ça n'était donc plus permis aux animaux de son âge de s'en aller prendre ses aises au creux de la forêt, au-delà du cercle des bouleaux blancs ? Bouleaux qui n'avaient plus rien de blanc, de toute façon.

... Si un ours ne peut plus se permettre une petite randonnée par les champs de temps en temps, pour y rencontrer du monde, et s'échanger des points de vue, et...

Les ours ouvrirent toute grande la gueule pour essayer de saisir le sens d'un aparté pareil... rencontrer du monde, échanger des...quoi ?...

La réponse de la vieille fut enterrée sous des grondements étourdissants qui se répercutèrent d'arbre en arbre au cœur de la forêt, pour venir se cogner aux oreilles des ours. Toutes les bêtes se redressèrent instinctivement, les petits imitant les grands, et se mirent à gronder en chœur. Puis Revenant-Noir imposa silence et fit retomber tout le monde sur ses pattes. Un piège venait sûrement de faire sa première victime.

... Que les nourrissons restent auprès des mères-ourses, les vieux ne bougent pas de la clairière, les jeunes s'accrochent au pas de leurs aînés. De la discipline avant tout. Et personne hors des rangs. Compris ?

Nounours fit signe que oui. Mais ça ne l'engageait à rien.

* * *

Le Métis et Titoume entendirent en même temps que les ours le grognement de Courte-Queue.

L'enfant s'attrape le ventre.

— Quequ'un s'a fait mal.

— Y a une trappe qu'était trop ben cachée sous le foin. Ça vient de la broussaille de cormiers.

Tit-Jean pense à Nounours.

— Je m'en vas qu'ri' Ozite, qu'il fait.

— Pas tout de suite. Allons voir en premier si y a moyen de faire queque chose.

... Si y a moyen de faire queque chose, ça prendra Ozite, la guérisseuse, la sorcière. Et Tit-Jean louche du côté de la Crique. Il ne peut plus regarder droit devant lui. Il ne veut pas voir. Il veut rentrer dans la gueule du piège, avec l'autre...

— C'est le damné de Courte-Queue, l'emplâtre, qui met tout le temps ses pas à côté de ses pistes.

Tit-Jean respire. Il aime bien Courte-Queue, malgré tout, mais il respire. Ç'aurait pu être Nounours, ou Revenant-Noir.

... Grouaaaaou ! ! !

— Tout doux, tout doux... approche pas si vite d'un ours blessé, Titoume, il connaît peut-être pas, lui, tes intentions. Oublie pas que t'es un homme.

Si fait, il est un homme, ou en voie de l'être. Il devrait s'en réjouir, il a tant rêvé au jour où

170

Simon le Métis l'appellerait un homme... Pourquoi ce bouchon au creux de l'estomac tout à coup ?

— C'est une patte d'en avant ; et ça c'est ben proche de sa gueule. Ça va être malaisé de le libérer si le bâtard veut pas comprendre. Dommage qu'il ait fallu tomber sur cet abruti.

— Regarde, Simon !

Tit-Jean vient de repérer, à l'orée de l'horizon, le meilleur du clan de Revenant-Noir, immobile, discret, en cercle. Tous les ours ont l'air d'attendre, comme s'ils comprenaient, eux, les intentions des hommes. Et au beau milieu du cercle, comme une souveraine entourée de sa cour, l'Oursagénaire.

— Je crois que c'est le temps d'aller chercher Ozite, que dit Simon le Métis en écrasant l'épaule de son petit homme.

III

Quand Ozite s'amena en trottinant comme un mulot derrière son grand escogriffe d'écervelé de Titoume... tu pourrais pas t'arrêter pour souffler au moins... la première apparition qui la frappa au visage fut celle de la parfaite immobilité des ours, rangés en bataille, mais pour une bataille qui n'aurait pas lieu. La centenaire avait flairé, avant même de voir ou de comprendre, que les ours avaient aujourd'hui une bonne longueur d'avance sur les hommes et laisseraient les hommes réparer eux-mêmes le tort fait aux ours.

... Tu peux y aller, le Métis, qu'ils avaient l'air de dire, dégage la patte de Courte-Queue, l'empoté qui s'enfargerait même dans une corde à linge. Nous autres on bougera pas.

Tit-Jean aurait voulu saisir, deviner le langage des bêtes, suivre comme Ozite les dessous du combat qui se déroulaient dans les yeux, au fond des cœurs, au creux des reins.

— Vas-y, le Métis, traduisit la centenaire au bénéfice de l'homme, les ours grouilleront point.

— Peut-être ben pas ceux-là, mais Courte-Queue, le bêta, a pas l'air de comprendre ce qui se passe.

— On y demandera pas de comprendre, juste de se laisser faire.

Et Ozite la sorcière imbiba son tablier d'un étrange liquide verdâtre et puant, puis le garrocha sur la tête de l'ours qui n'eut même pas le temps de se demander pourquoi il tombait de sommeil en plein été et au grand jour.

— Fais attention de pas t'enferrer toi-même dans la trappe, manchot ; vas-y doucement.

Les ours en cercle accordèrent tout le temps au Métis de faire son travail, et à Ozite d'enduire d'huile sauvage et de feuilles de plantain la patte de l'affligé, puis de la bander de vieilles retailles. Même que l'Ours-qui-Traîne-la-Patte parut nostalgique et envieux... Le monde avait tout l'air de s'améliorer malgré tout et malgré lui.

* * *

Marie-Jeanne n'en croyait rien ; la femme à Zéphire refusait de l'admettre ; Modeste aurait voulu se voir à six pieds sous terre. Tout de même, la femme, tout de même ! Ça serait bien le restant si une personne devait asteur laisser sa peau à des ours. On avait pourtant bel et bien trouvé les pièges au fond de la rivière — c'est le petit des Belliveau qui les avait repérés à marée basse — des pièges enclenchés puis déclenchés, couverts de sang...

— Hey, hey ! du sang sur des pièges qui ont passé trois jours au fond d'une rivière, exagérez pas !

— Pas sur les pièges, le sang, mais en haut du champ, à l'abri sous les cormiers.

— Ça vous apprendra à tendre des trappes dans les champs. N'importe qui aurait pu tomber dedans. Êtes-vous si sûrs que c'est du sang d'ours qui a éclaboussé les broussailles de cormiers ?

Plus personne n'était sûr de rien. Et Marie-Jeanne continuait de nier toute l'affaire.

— Si c'est point du sang d'ours, c'est le sang de qui ? risqua Modeste.

C'est alors que Grand-Galop se souvint de l'enfant du Ruisseau-de-la-Rivière, le Tit-Jean à Margot qui rampait le long des clôtures entre les bouillées de rhubarbe.

— Ça serait peut-être pas une mauvaise idée que quelqu'un aille faire un tour dans le bout de la Crique.

Cinq-six sentiments contraires l'envahissaient en même temps ; et le chasseur ne savait plus s'il était davantage furieux d'avoir perdu ses pièges, humilié d'avoir été déjoué par des ours, ou honteux d'avoir risqué la vie d'un homme, d'un enfant. Il décida finalement d'avoir peur.

— Les genses de la Crique sont plus sauvages que les ours, qu'il conclut pour se disculper.

Mais il n'en continua pas moins à fuir le regard de Zéphire qui résolut d'aller s'émoyer.

Tout le monde pouvait dormir tranquille : les habitants du Ruisseau-de-la-Rivière avaient tous leurs membres et ne savaient rien. Ils avaient reçu Zéphire avec les plus grands égards, écouté son histoire avec le plus grand intérêt, répondu à ses inquiétudes avec la plus parfaite concision. Les ours avaient dû se dégager eux-mêmes les pattes et devaient à l'heure qu'il est lécher leurs blessures au fond des bois. Puis Simon avait ajouté au bénéfice de Zéphire et de tous ceux des buttes et des anses que ce n'était peut-être pas une bonne idée de blesser des animaux sauvages qui passent pour avoir la plus longue mémoire de tous ceux des bois.

— Quoi c'est qu'il a voulu dire par là, le Métis ?

Loup-Joseph ne répondit pas à Modeste, mais fixa la lisière de la forêt en jouant des doigts sur sa ceinture.

— Si la bête blessée est dangereuse, c'est peut-être mieux de l'abattre.

Et Zéphire Léger comprit que le printemps serait chaud.

Pour détourner de l'orée du bois les yeux de tous les enragés chasseurs et détrousseurs de forêt, Zéphire aborda la question de l'exposition agricole. Cette année on pourrait bien l'avancer d'un mois ou deux, étant donné la précocité de la saison. Pourquoi pas aux alentours de la Saint-Jean-Baptiste ?

— À la Saint-Jean-Baptiste, pas un chrétien aura encore rempli son aire de foin.

— Depuis quand c'est qu'on fait parader des charretées de foin dans l'exposition ? Des moutons, monsieur, des bœufs pis des veaux, des cochons avec leurs truies, un beau cheval de labour, et le taureau de reproduction.

— Et au mitan de la parade, le champion mâle de la reproduction, Zéphire et ses onze garçons.

Les femmes baissèrent les yeux et se couvrirent la bouche, ne laissant filtrer entre les doigts qu'un sourire écorné. Puis le sourire s'effrangea sur la suite du discours de Grand-Galop.

— Le premier qui réussira à piéger un ours pourra fournir à chaque mâle de la paroisse de quoi reproduire sa race jusqu'à ses septante ans. Laissez-moi seulement y rouvrir le ventre et y tailler un morceau de vessie.

— Point la vessie, non, la vésicule. Mais prenez ben garde d'en dire un mot au confessionnal.

Le petit Léger ne perdit pas de temps : il rassembla tous les gringalets de l'école pour les instruire sur les vertus aphrodisiaques de la vésicule biliaire de l'ours. Il ajouta que les buttes pourraient aller de surprise en surprise, ce printemps, avec une exposition agricole à la Saint-Jean, un taureau de reproduction plus reproductif que jamais...

— Un taureau, ça mange du foin, point des entrailles d'ours.

— La vessie des ours est point pour le taureau, innocent ; c'est pour ton père.

Quand il tenta de rapporter cette histoire à Ozite, Tit-Jean s'engotta dans sa salive. Et il s'en fut chez Simon le Métis. Donc l'ours pouvait offrir au chasseur autre chose que la viande et la peau. Le roi de la forêt avait des pouvoirs cachés. S'apparenterait-il de quelque façon à nos sorciers ?

Le Métis sourit à l'image et entraîne l'enfant en haut du champ, au-delà des touffes de vergnes et de cormiers, par des sentiers qu'il est seul à connaître, hormis l'ours. Ils zigzaguent tous les deux entre les squelettes de sapins, d'érables et de bouleaux... Le bouleau, le plus noble des arbres de nos bois !

— C'est pas le chêne ?

— Le chêne vit plus longtemps et monte plus haut dans le ciel. Mais le bouleau s'accroche à la terre plus solidement. Pis regarde-moi cette écorce blanche. Tu connais un autre arbre des bois à la peau blanche ?

— Elle est noire.

— Noircie de brûlure. Ecorchée. Mais souviens-toi du temps d'avant le feu. Va chercher dans ta mémoire le bouleau qui sort de terre, qui grandit au soleil, qui blanchit d'année en année, ajoutant tous les ans une pelure toute neuve à son tronc, comme un oignon. Et en-dessous de son écorce blanche, ,une rose comme la chair du saumon... ou la peau d'un bébé naissant.

Tit-Jean fait semblant de regarder ailleurs :

— T'en as déjà vu, toi, Simon, des bébés naissants ?

— ...

— Quoi c'est que je ressemblais en venant au monde ?

— ...

— J'étais-t-i' beau au moins ?

— Laid comme un pou nouveau-né.

— T'as jamais vu un pou nouveau-né, grand fou.

Puis, mine de rien :

— Ozite m'a dit que je ressemblais à ma mère Marguerite. Elle m'a dit que j'y ressemblais encore aujourd'hui.

— Personne peut ressembler jamais à Marguerite !

Il a dit ça dans une telle rage, que l'enfant a sursauté. Alors le Métis se calme et se frotte la nuque. Il fait asseoir son ami près de lui, sur un tronc renversé... un bouleau, tiens !... et se met à raconter. Marguerite ! le grand amour de sa vie, le seul, l'irremplaçable, l'amour qui ne passe

178

jamais deux fois, qui te revire la peau de l'âme, te chavire les boyaux, te bourre la tête d'étoiles filantes et de saintes-vierges-en-robe-de-dentelle, te tient réveillé la nuit et te fait rêver le jour, te pousse à sauter plus haut que le chevreuil, à hurler plus fort que le loup, à chanter plus juste que l'alouette. L'amour qui finit par te changer en ours.

— Après ma réincarnation...

— Moi aussi, je serai un ours. Crois-tu que ma mère se cache queque part dans les bois ?

Non. Il l'eût trouvée, sentie. Si Marguerite s'est réincarnée, faut que ce soit dans un astre, le soleil, peut-être le firmament tout entier. Le jour, parfois, durant quelques secondes, Simon réussit à se distraire de son amour, le temps de répondre à Ozite qui veut savoir d'où il vient, où il va, pourquoi il n'a pas encore troqué ses caleçons d'hiver contre ses caleçons d'été.

— Celle-là nous lâche pas sus les caleçons.

Puis Tit-Jean avale aussitôt sa langue et fait signe à Simon d'enchaîner. Le jour, il réussit à se distraire parfois...

... Mais ses nuits appartiennent en entier à Marguerite. Même s'il lui arrive de dormir. Surtout quand il lui arrive de dormir.

— Marguerite passe ses nuits dans mon lit.

Tit-Jean en a le souffle coupé, mais n'ose plus interrompre. Ses rêves se mettent alors à chevaucher les visions du Métis, et les deux amis improvisent à l'unisson une sorte de complainte à la mémoire de Marguerite, le plus grand amour que connut le pays qui jalonne la Rivière. Et entre chaque couplet, un refrain :

179

«Avant longtemps quelqu'un paiera
La mort de Marguerite.»

* * *

Nounours ne tient plus son poil en place. Il vient d'apprendre de son ami le Titoume qu'un jour lui et l'autre pourraient se trouver du même bord.

... Regarde la patte que traîne Courte-Queue et viens nous dire après ça que les ours et les hommes se trouveront un jour du même bord.

C'est l'Oursonne qui a parlé, l'Oursonne encore, qui fut sa mère dans le temps... avant qu'elle ne se mette en frais de faire d'autres nounours semblables à lui... l'abat-joie, la trouble-fête, l'empêcheuse de tourner en rond et de partir dans les étoiles. Pourtant il le tenait du Titoume qui s'y connaissait en science de la vie et de la mort.

... Quoi c'est qu'il remâche là, l'écervelé ? que s'enquiert une femelle en grogne de n'avoir pas réussi à rendre à terme sa portée de l'hiver. Les hommes s'y connaîtraient mieux que nous sur la nature ?

... Il a dit la vie et la mort, que corrige le Vieil-Ours-qui-Traîne-la-Patte qui avait un faible pour le rejeton préféré de Revenant-Noir.

Les ours s'efforcent en vain d'agrandir des yeux emprisonnées dans leurs paupières étroites ; et se contentent de balancer la tête de gauche à droite à gauche. Le Boiteux vogue bien trop haut pour une cervelle d'ursidé. Seule l'Oursagénaire renifle l'air du temps, comme si elle revivait une histoire ancienne... La vie et la mort, qu'elle grogne... de l'autre bord... elle et Ozite, sait-on jamais...

Si Nounours avait pu en cet instant pénétrer dans la vision de l'aïeule, il eût semé autre chose que du poil. Et sans savoir ce qui lui arrivait, il se mit à muer sans vergogne et sans retenue.

IV

L'événement de la chasse du printemps fut la capture du Solitaire.

— Au piège !

— Au piège en premier ; achevé à la carabine. Une sacrée belle peau. V'là une bête qui a point eu l'air d'avoir trop souffert du feu de forêt.

Une peau d'ours que devaient se partager Grand-Galop et Loup-Joseph : un trappeur et un braconnier.

— En saison, un braconnier chasse, il braconne pas.

N'empêche qu'il fallait aux deux chasseurs se partager la peau du Solitaire. Or un pays qui a vu un citoyen ordinaire afficher des droits même sur un pont couvert ne va pas si allègrement céder sa part de la peau de l'ours. Et la chicane prit des proportions qui mirent toute la Rivière en joie. Très vite les rives sud, sud-est et sud-sud-est se rangèrent soit du côté de la trappe, soit de la carabine. Grand-Galop avait attrapé l'ours, mais c'est le Loup-Joseph qui l'avait tué. Pourtant, si Marie-Jeanne avait bonne mémoire, Loup-Joseph n'avait pas son permis, ce vaurien de braconnier de nuit. Quant à ça, c'est pas certain que les pièges du beau Grand-Galop étaient réguliers. En attendant, on n'allait pas laisser pourrir la proie. Commençons par l'écorcher, lui tanner le cuir...

— Et lui déniger la vésicule biliaire.

Le petit Zéphirin transmit le message à toute la cour des garçons qui s'ébroua, ricana et revola dans la cour des filles. Le même soir, Tit-Jean rapportait la mort du Solitaire au Métis, puis à Ozite.

La vieille, à la surprise de l'enfant, ne se donna pas la peine de sortir les bras du bac à laver le linge d'hiver, et se contenta de relever une mèche qui s'était détachée de sa toile d'araignée. Le Solitaire n'était point de sa confrérie. Un renégat, un félon, un rebelle qui s'était insurgé contre Revenant-Noir, et tout seul s'était rassasié du meilleur sur du bon pendant que le clan dépérissait. Ozite ne verserait pas une larme sur le Solitaire.

— Ils l'ont piégé pis tiré à vue, que fit l'enfant dégoûté.

— Tiré une bête coincée ?

C'était autre chose. Solitaire ou point Solitaire, n'importe qui avait droit au respect : on ne vise pas un être sans défense. Et Ozite s'arracha à son bac et s'en fut se torcher les mains à l'évier.

— Qui c'est qui remporte la peau ? qu'elle fit.

— Apparence qu'ils vont la couper en partage.

— Va me qu'ri' le Métis, Titoume. On en a
eu assez comme ça de voir le pays se partager
entre des étrangers.

En prenant le chemin de traverse qui lon-
geait la crique, Tit-Jean remâchait dans son cerveau les paroles de la centenaire. En cent ans,
elle avait donc vu les étrangers envahir le pays,
s'emparer de la terre de ses aïeux, des aïeux que
Tit-Jean à Margot, l'orphelin amputé de la branche paternelle, n'arrivait pas à défricher... Il
finirait pourtant par trouver l'arbre touffu et
vigoureux, l'arbre d'où il était tombé comme un
fruit mûr, un certain 24 juin...

L'homme et l'enfant avaient appris des ours
à ne pas écraser l'herbe sous leurs pieds et à ne
jamais laisser de pistes les trahir. Ils poussaient la
prudence jusqu'à s'avancer dans le sens du vent,
de manière à projeter leur odeur en avant... comme
si les gens du sud de la Rivière avaient été dotés
d'un museau au lieu d'un nez. En cas. En pays de
chasse, on ne laisse rien au hasard. Chut !...

Et le soir, Modeste courut prévenir les chasseurs que des brigands leur avaient volé leur
peau... Mais non, elle n'avait rien vu ; évidem-
ment, elle n'avait entendu personne ; bien sûr
qu'elle ne pouvait produire aucune preuve, sinon que la peau du Solitaire ne séchait plus au
fond de sa cour.

— Je veux bien croire qu'un ours, même as-
sommé, même pris au piège, peut s'enfuir. Mais
point sortir tout seul de sa peau. Et pis arrête de
jurer, Loup-Joseph. Je te fais confiance ; ça sera
pas ton dernier ours de la saison.

Loup-Joseph avala avec son juron une bile
gluante qui lui remonta au nez. Il se moucha à ses
manches, puis s'éloigna du côté des Zéphire.

L'enquête commença dès le lendemain dans la cour d'école. C'était jour de Fête des Arbres : jour de congé scolaire où les filles lavent les pupitres et les bancs, tandis que les garçons se pavanent sous les fenêtres en prétendant bêcher, ésherber, planter. Quand les deux hommes débouchèrent dans la cour, les fils Zéphire prirent peur. Aucun enfant bien portant ne peut se vanter d'avoir la conscience assez propre pour ne pas trembler devant l'arrivée inopinée de son père en pleine école. Et tous les petits Zéphire se remettent à bêcher comme s'ils creusaient le tombeau de Christ.

L'enquête ne révéla rien sur la peau de l'ours, mais tout sur sa vésicule biliaire. Et c'est ainsi que la bonne femme Zéphire se chargea elle-même de la suite. L'école était rendue un lieu de débauche ; quelqu'un pervertissait ses enfants ; elle avait toujours cru qu'un système d'éducation qui mélangeait les torchons et les serviettes finirait par former des bandits au lieu des prêtres, des docteurs pis des avocats...

— ...Bandits, docteurs pis avocats, que s'esclaffa le Grand-Galop... en laissant tomber les prêtres.

Sa femme put se rasseoir.

Alors s'amena la vieille Marie-Jeanne. Elle venait se renseigner sur le sort du petit de la défunte Margot : s'il fréquentait toujours la même école que les autres, s'il avait suivi ses classes de catéchisme, s'il avait été reçu à la confirmation.

Non, justement, le Tit-Jean n'était pas confirmé. Pas qu'il n'avait point été reçu, il avait refusé. Refusé, vous dites ? refusé d'être confirmé par l'archevêque en personne en tournée de confirmation ? Mais qui à la fin se chargeait d'élever cet enfant du bon Dieu ?

— Ozite, la centenaire du Ruisseau-de-la-Rivière.

Bien sûr que l'orphelin était à la charge d'Ozite, comme si quelqu'un pouvait ignorer une chose pareille dans un pays où les archives de la paroisse étaient mieux tenues qu'un casier judiciaire, et où le défrichetage de parenté était une institution avec ses rites, sa hiérarchie et ses lettres patentes. Les allées et venues du Tit-Jean à la défunte Margot étaient scrutées par toutes les buttes et les anses de la Rivière comme si la paroisse entière devait répondre de lui à sa mère au jour du Jugement dernier.

Heureusement que l'enfant avait vu se pencher sur son berceau en premier un demi-sauvage et une nonagénaire pour chasser les mauvais sorts des méchantes fées. Un Métis et une Ozite qui durant douze ans avaient quand même réussi à le laisser respirer par la bouche et sentir par le nez.

— Le laisser pisser deboutte, d'ajouter le Métis en jetant un œil de travers aux buttes.

Et sans regarder Ozite :

— Depuis quand c'est que les chrétiens des premiers bancs à l'église s'inquiètent tant du sort d'un enfant trouvé ?

La centenaire comme le Métis regarda ailleurs. Ce genre de conversation pouvait se passer d'affrontement.

... D'abord le Titoume n'était point un enfant trouvé ; il était fils de sa mère... par la grâce de Dieu. Et fils de...

— Quand c'est que tu vas y dire ?

Elle radote. Et s'obstine. Elle sait bien, Ozite, que Simon ne connaît pas le nom de l'assassin de Marguerite... Tiens ! voilà qu'il l'a appelé un assassin... c'est malgré lui... car l'homme n'a pas

tué Marguerite, il a tué l'âme de Simon le Métis.
C'est pourquoi Simon devra le tuer à son tour.

* * *

L'Oursagénaire refuse de bouger d'un poil.
Si son grand insignifiant de fils, fort justement
prénommé Revenant-Noir, un fantôme incapable d'imposer sa présence à son clan de plus en
plus désorienté et qui s'égaille dans les champs et
hors du bois, si le chef ne réussit pas à leur rendre
à tous la bonne vie d'antan, la vie d'avant le feu...
ah ! pis tant pis, elle ne sait plus ce qu'elle allait
dire sinon qu'on ne la fera plus bouger.

... Faut partir, dame-mère, faut déménager,
le printemps ne viendra pas dans une forêt dévas-
tée. Les ours vont crever, comme les autres bêtes
des bois. Déjà que les chevreuils et les orignaux...

... Orignaux ? Les ours sont donc rendus à
calquer leur comportement sur celui de l'Orignal ?

... Faut s'enfoncer plus loin, au-delà des
troncs calcinés, chercher refuge au pays des hêtres et des épinettes...

... Quoi ? abandonner les bouleaux blancs ?
Mais quelle sorte d'espèce de genre animal est-
on devenu chez les ours de la Rivière ? C'est un
simple incendie, asteur, l'un de ces caprices
comme la nature s'en permet chaque trois-quatre
soleils qui va chasser l'ours du bois ? N'a-t-on plus
aucun orgueil ni aucune dignité ?

... On a surtout grand-faim, grand-mère.

... Et grand-peur des pièges tendus tout le
long des sentiers qui mènent à la source et au
ruisseau. Comment va-t-on se nourrir ? et apaiser

188

sa soif ? et guérir à mesure nos blessures aux pattes ?

L'Oursagénaire toise Courte-Queue. Il avait bien besoin, celui-là, d'aller s'enfarger dans un piège. Sans Ozite... Et elle revoit son amie, penchée sur la patte meurtrie d'un ours d'au moins dix fois son poids, un hargneux par-dessus le marché, sans respect de rien, qui eût été capable, l'oursaud, de se méprendre sur les intentions de la bonne femme et de lui croquer le museau, pour le plaisir de la chose... Vous ne savez donc plus distinguer le bien du mal, personne ?

Tous les ours regardent l'aïeule d'un air égaré... Qu'est-ce qu'elle a dit ? Comment a-t-elle dit ça ? Revenant-Noir s'ébroue et pense qu'il est grand temps d'ébranler le clan vers des terres lointaines. Quand un ours est rendu à parler la langue des hommes... Décidément, sa vieille mère fréquente un peu trop les champs de maïs depuis un certain temps.

Seul le Vieil-Ours-qui-Traîne-la-Patte esquisse ce qui, chez une autre espèce que celle de l'ours, pourrait s'appeler un sourire entendu. Il hoche sa lourde tête dans la direction de sa commère, puis fixe le soleil. Comme si là-haut, dans les astres, quelque chose l'aspirait, l'appelait à sortir de son poil, à repousser le mur circulaire de son crâne, à débloquer, arracher aux limbes, faire exploser un moignon d'âme... l'âme... cette chose en lui qui cherchait à naître...

L'Oursagénaire s'approche du vieil ours, son compaing de cinq ou six feux, de trois inondations, de plusieurs sécheresses, de multiples rages de la foudre, d'un tremblement de terre, et de la mort à quelques reprises du soleil. Si fait, plus d'une fois les deux aînés des bois ont vu mourir le soleil, en plein jour, dans un ciel sans nuages et sans brume, un ciel qui soudain tombe sur la forêt tout entière comme une fin du monde. Jamais l'Oursagénaire n'a cru autant à sa mort prochaine qu'à l'heure où la nuit s'est confondue au jour, chavirant ainsi la nature dans ses lois les plus sacrées. Depuis cette première éclipse du soleil, l'Oursagénaire a toujours su qu'elle ne devait plus jamais compter sur l'immuable. Et elle se mit à croire à l'impossible. Ses rapports avec Ozite ne firent que la confirmer dans sa lente évolution vers... Rendue là, l'Oursagénaire sent la brume s'infiltrer par les fentes de son crâne et lui embuer la cervelle. Elle quitte le clan et s'en va se vider les boyaux au pied d'un merisier noirci.

* * *

Nounours avait compris ou cru comprendre l'essentiel des intentions de son père : la tribu tout entière allait s'expatrier. Et il courut à travers champs jusqu'au rang des cormiers. Fallait prévenir Titoume au plus vite. Lui demander de le suivre, ou de le prendre avec lui, ou... ou quoi ?

Titoume, avec sa logique d'homme, avait une longueur d'avance sur Nounours. Mais cette avance à vrai dire ne l'avançait à rien.

— Tu sais bien, Nounours, que je peux pas partir au fond des bois, et que c'est malaisé de te demander de me suivre partout comme si t'étais pas un ours...

En disant ça, Tit-Jean sent sa gorge se tordre comme un vieux torchon. Les deux amis n'étaient pas du même bord, pas tout à fait, pas au point de franchir la dernière barrière qui se dressait à la lisière du bois. Un jour ils allaient grandir, grossir, se couvrir de poil ou de fourrure, pousser en hauteur ou s'allonger à l'horizontale. Puis Tit-Jean se rebiffe. Un jour peut-être. Mais aujourd'hui, Nounours et lui gambadent côte à côte, pas dans les pistes, peau contre poil, se frottant allègrement et goulûment le nez et le museau.

— Je les laisserai pas te faire mal, Nounours, compte sur moi.

L'ourson lève sur son ami des yeux qui rétrécissent de jour en jour, mais deviennent pourtant de plus en plus perçants. Il comprend. Sans entendre la langue du petit d'homme, il reconnaît l'accent, et à travers l'accent, le sens des mots et les intentions. Il peut compter sur Titoume. Et c'est alors que l'enfant propose à l'ours l'étrange pacte d'amitié qui se pratique chez les hommes, mais que Tit-Jean, qui n'a jamais eu de véritables amis de son âge, n'a encore échangé avec personne.

— Je vas te faire une toute petite coche dans la peau, Nounours, avec mon couteau, tiens-toi tranquille, ça fait pas mal, pis on va tous les deux mélanger notre sang, comme ça... grouille pas... c'est juste une manière de dire qu'on restera tout le temps des amis, pas de différence ce qui peut arriver dans la vie...

— Quoi c'est le diable que t'essayes de faire là, vaurien ?

Simon le Métis !

— Tu m'as fait peur.

Tit-Jean referme son canif et l'enfonce au creux de sa poche. Puis il fait signe à Nounours... mais Nounours n'est déjà plus là.

— Maudit Simon, t'arrives tout le temps pour déranger le monde. Tu vois ce que t'as fait ?

191

Pour la première fois, l'enfant ose jeter à son maître un œil dur et mauvais. Le Métis, après trois secondes, doit détourner la tête. En fouillant du bout du pied la motte de terre que des fourmis ont érigée en domaine durant tout le printemps, il explique à son ami que... Non, il n'explique rien, il cause, muse, improvise une sorte de complainte à la gloire de la nature qui relie les champs et les bois, les hommes et les ours, les vivants et les morts.

Tit-Jean attrape les morts au vol :

— Toi tu parles à la défunte Marguerite la nuit, et moi je pourrais pas jouer avec un ours ?

— Échanger le sang, c'est plus un jeu.

Avale, Titoume. Puis il se renfrogne :

— Si c'est ça grandir...

Le Métis lui saisit le bras :

— Fais pas mine de rien, lève juste un œil du bord des vergnes là-bas.

L'homme et l'enfant suivent des yeux l'Oursagénaire qui clopine péniblement entre les aulnes, précédée du fier Nounours.

— J'ai comme dans l'idée que ton compère et compagnon s'en fut chercher du renfort, Titoume.

Et sans perdre une seconde, l'enfant charge comme un fou du côté du bois, pendant que le Métis enfonce ses mains dans ses poches et se remet tranquillement à parler à Marguerite.

V

C'est le cerf qui en fait une tête ! Il avise le convoi et n'en croit pas ses yeux. Une tribu d'ours qui s'ébranle comme une armée rangée en bataille, on n'a jamais vu ça en forêt. C'est une anomalie, une hérésie de la nature. Et le grand cervidé cherche du côté du soleil un semblant d'explication... Le soleil ? Tu veux rire ! À peine s'il réussit à cligner de l'œil entre d'effrontés cumulus ; si tu penses qu'il parviendra à faire filtrer ses rayons à travers d'épais branchages... Comment, des branchages ? Mais vous ne voyez donc pas que les arbres sont dégarnis comme des piquets de clôture ? Plus une seule feuille pendue à la moindre branche d'un tremble ni d'un merisier. Plus d'aiguilles aux épinettes, plus de mousse au pied des saules, plus d'écorce blanche enrobant les bouleaux.

... Les bouleaux ! Donc Revenant-Noir quitte son territoire. C'est la fouine qui le rapporte : elle a entendu un ourson le confier à la belette, sa cousine, qui l'a répété à la marmotte, qui l'a dit au castor puis au rat musqué. Rendue au renard, la nouvelle avait fait le tour du sous-bois et commençait déjà à grimper aux arbres. Et le cerf court en avertir l'Orignal, le roi des bois.

Bientôt toute la forêt qui jalonne et nourrit la Rivière se passe le mot : l'exode des ours vers le nord. Le Grand Nord ? Non, tout de même, faut pas que Revenant-Noir se prenne pour un ours polaire. Il s'enfoncera tout simplement un peu plus creux au nord-ouest, au pays des conifères que les flammes de l'été précédent n'ont pas atteints.

... Revenant-Noir chez les sapins et les pruches ? Faut point avoir d'orgueil ! Un ours qui a gratté de sa griffe les plus antiques bouleaux blancs de tout le haut du pays n'ira pas abriter sa fourrure sous les épinettes.

... Un ours qui a faim fera n'importe quoi, comme toi, la loutre.

Et la loutre se détourne du petit gibier qu'elle n'a pas hésité à croquer, même à l'heure de la catastrophe. Faut bien qu'une bête vive.

... Faut vivre, répète Revenant-Noir à tous ses fils, frères, femelles, cousins, compères réunis pour une dernière fois au centre de la clairière qui fut durant plusieurs soleils témoin de leurs ébats et de leur lutte. La région des bouleaux ne peut plus les nourrir. Ni les abriter à la saison de la chasse. Voyez ce qui est arrivé au beau Courte-Queue. Quand viendra le temps des feuilles mortes...

L'Oursonne se faufile entre ses multiples rejetons de trois ou quatre saisons, repoussant chacun d'un coup de croupe, et s'approche de Revenant-Noir. Qu'est-ce qu'il compte faire de sa

194

mère cette fois ? S'est-il imaginé un seul instant que la bougonne allait suivre ?

... Sa mère ? En fait, où est-elle allée se fourrer, la galeuse ? Quelqu'un a-t-il aperçu l'Oursagénaire récemment ?

Nounours fait le mort. Ostensiblement. Que c'en est suspect. Lui le fringant, le turbulent, le cyclone du sous-bois, qui n'admet jamais du premier coup que le soleil ne brille pas sous la pluie, ou que la neige ne tombe pas au temps des framboises, il fait le mort. Son père le toise. Où est l'Oursagénaire ?

Il ne sait pas.

Alors le chef de la tribu des ours noirs du pays de l'Atlantique s'avance d'un pas lourd, ne prenant même pas la peine d'épargner les brindilles ni les bourgeons tombés dans la mousse...

La mère-ourse s'interpose. Cet ourson a beau être de la couvée du printemps dernier, il est sorti de ses flancs. Aucun mâle, fût-il le sien, et le chef du clan, et le plus agile et plus redoutable fauve de nos bois, ne touchera à son nourrisson. Elle se dresse sur ses pattes de fesses, et se tient presque museau à museau devant l'autre, le fils de l'Oursagénaire, le seigneur qui commande à toute la race.

Et la race tout entière retient son souffle.

Alors s'avance l'Ours-qui-Traîne-la-Patte, péniblement, branlant sa vieille tête lourde d'une expérience de vie que chez les hommes on appelle sagesse, faute de mieux, et que les bêtes des bois reconnaissent comme le don suprême de la nature. Durant toute une vie, le Boiteux s'est exercé à dresser le front une tête au-dessus du cou, à flairer le monde autrement que par le museau, à marcher au-delà du sentier tracé par les ancêtres. Toujours plus loin, Vieil Ours, vers

195

la frontière qui sépare des mondes que la création a laissés en friche. Des mondes tout à refaire à chaque printemps. Il dresse la tête devant son chef :

... Suffit, Revenant-Noir ! l'année fut bien assez dure comme ça.

...puis se faufile entre les combattants.

Nounours a eu le temps de trembler pour sa vie, de salir la fourrure de son cul, et de grimper au faîte d'un jeune noisetier que le feu de l'an dernier a négligé par mégarde. Et c'est de là, le museau enfoui dans les feuilles, qu'il sent venir l'insolite. Au-delà de la clairère, à sept-huit arbres du bord de l'est, il voit... si fait, lui le myope, il voit... trois ombres noires qui s'approchent, se colorent, prennent forme, des formes connues...

... Titoume !

Titoume et Ozite, qui encadrent l'Oursagénaire. Nounours voudrait s'en frotter les yeux de ses pattes, mais ne sait comment faire. Il sait juste lancer du haut de sa perche des cris aigus et répétés, des toux et crachats, des voyelles détachées de leurs consonnes, des nasales, des dentales, des gutturales, des points d'exclamation ! Puis il dégringole cul le premier, au mépris de toutes les lois, et vient s'écraser au pied du frêle noisetier qui n'a pas mérité ça.

Tout le clan se dresse instinctivement sur ses pattes de derrière, qu'on pourrait le prendre au premier coup d'œil pour un ballet de pingouins. Revenant-Noir est le premier à comprendre que l'heure n'est plus aux chicanes de famille, qu'à l'orée de la clairière, de l'étrange vient de franchir la frontière de leur monde. Il s'avance, flaire l'odeur de l'homme, mélangée à celle bien connue de l'ours. Il entend leurs pas sur la mousse. Puis il les voit : la centenaire, l'enfant et son infatigable casse-pattes de vieille mère... Mais qu'est-ce qu'elle fait là, l'importune, à la fin ? Quel genre de troubles s'en fut-elle dénicher cette fois ? Les ours n'auront donc jamais la paix, même pas au fond de leurs bois ? Il fait un signe de tête aux autres de retomber sur leurs pattes. Et seul il s'approche des nouveaux venus, les naseaux grands ouverts.

L'Oursagénaire reconnaît enfin son fils et se détache de ses compagnons de route. Elle vient vers lui en s'efforçant de garder la tête au-dessus des épaules et de marcher sans enfarger ses pattes d'en avant dans ses pattes de fesses... Gêne-toi pas de partir quand tu voudras, qu'elle lui signifie dans son jargon en éclaboussant sa grogne de crachat. Je reste dans les bois.

... Mais on reste tous dans les bois, les bois d'en haut, d'un peu plus haut.

... Je bouge pas.

... En terre brûlée, c'est la mort.

... C'est partout la mort, un jour ou l'autre.

... Faut pas courir après, ça n'est pas dans les mœurs des ours.

... Que les ours aillent se faire foutre. Je dis que je reste.

... Toute fin seule ?

L'Oursagénaire se retourne, mais ne voit plus rien. Elle agite la tête, renifle, puis les repère, Ozite et Titoume, qui se tiennent à distance respectable du clan des ours. Elle montre son cul à son blanc-bec de fils et va rejoindre la femme et l'enfant.

* * *

Le Métis a fait le tour des granges, hangars, appentis, cordes de bois, touffes de cenelles ou de bleuets, et se prépare à fouiller la crique, quand un rayon du soleil de cinq heures s'en vient se cogner à la fenêtre de la lucarne puis lui rebondir sur le front. Alors s'allume son cerveau... Les bois ! Ils sont partis aux bois.

En enfilant les sillons de maïs, contournant les clôtures, sautant les broussailles, il s'efforce de rentrer sa colère, se répète que la vieille a déjà atteint le siècle, que l'autre n'est pas encore sorti de l'enfance, qu'à leurs âges, on se croit tout permis, que faut point les brusquer, mais leur faire comprendre... ah ! pis que le diable ! si vous pensez qu'on peut faire comprendre raison à deux entêtées et toquées de cervelles échauffées !

Il hâte le pas et prend le raccourci à travers le territoire des coyotes et des loups-cerviers, fouillant chaque tronc d'arbre pourri et chaque souche renversée. Soudain il s'arrête pour écouter le chant du geai bleu.

... Sont par là les ours, sont par là !

— Pis les autres ?

... Les ours sont par là les ours !

— Ferme-toi le bec si t'as rien à dire.

Et il s'enfonce au plus creux de la forêt.

Enfant, il parlait aux roches, aux arbres, aux animaux. Depuis douze ans, il parle à Marguerite. Il a grand-hâte de se réincarner... Tu prendras point peur, Margot, je serai un ours, dans le genre de Revenant-Noir, un roi des bois qui fera point mal à personne... seulement à ceux-là qui pourraient s'en prendre à toi... au petit... à Ozite... aux animaux. Je laisserai tous les autres vivre comme ils l'entendent. Mais malheur à c'ti-là qui osera s'approcher de toi... Dis-moi seulement son petit nom, Marguerite. Montre-moi la butte, ou l'anse, ou le bord de la Rivière où fume son feu de cheminée. Répète-moi ce qu'il t'a fait, comment il s'y est pris, comment il a réussi à te jeter par terre...Non ! dis-moi rien. Rien. Je veux juste savoir son nom.

Il s'arrête et cherche à se réorienter. Pour rejoindre les ours, ils ont dû suivre le noroît. Mais à cette heure-ci, tous les vents sont tombés. Malaisé de sentir la moindre brise au creux de la forêt. Faudrait trouver une clairière.

... La clairière ?

... Dépêche-toi, flanc-mou, le soleil est déjà bas, va pas le laisser se coucher avant d'avoir rattrapé ces maudits écervelés... les nuits sont fraîches dans les bois, même au mois de juin... hale-toi, grand lingard... la nuit, les ours sont comme tout le monde... ils pourraient les prendre pour quelqu'un d'autre... pourraient se méprendre sur leurs bonnes intentions... cours, empoté, dépêche-toi !

* * *

— Baisse ton fusil, Simon ! huche Tit-Jean qui cherche à couvrir à lui seul tout le clan des ours.

— Viens-t'en icitte, espèce de fou ! répond le Métis en continuant d'avancer sans détendre le bras.

Alors il aperçoit Ozite qui cherche désespérément à se lever de sa souche en prenant appui sur l'Oursagénaire, écrasée à ses pieds : une Oursagénaire qui a épuisé le reste de ses énergies de la journée à mettre la paix entre les ours des bois et ses amis des champs, et n'a pas l'intention de lever la queue pour tenter de réconcilier Revenant-Noir et cet effronté des buttes.

... C'est Simon, vieille Ourse, c'est le Métis, que bégaye Ozite incapable de se décoller les os des fesses plantés dans le bois mou de la souche.

... Un métis ? On est tous un petit brin métis, que se contente de répondre avec la plus perfide mauvaise foi l'Oursagénaire. Si vous pensez qu'elle va s'arracher à sa béatitude pour un métis...

— Tire pas, Simon !

... Mais non, mais non, tenez-vous tranquille, l'homme sait ce qu'il fait, le Vieil-Ours-qui-Traîne-la-Patte l'a senti tout de suite, cet homme-là n'est pas venu pour la chasse, pas même pour se défendre...

... Ben alors, qu'est-ce qu'il fait avec un fusil en plein bois ?

— Qu'est-ce que tu fais avec ton fusil, Simon le Métis ? que réussit enfin à articuler la centenaire en se dressant miraculeusement sur ses jambes.

Simon ne répond pas, il se contente de reculer, lentement, ses pas retrouvant comme un automate l'exact emplacement de ses pistes, sans détacher les yeux, même le temps d'un clignement, du front de Revenant-Noir, sortant doucement de son champ de vision, puis de son flair, attirant d'un imperceptible geste de l'index droit la vieille et l'enfant.

Nounours regarde partir son ami et veut le suivre. Mais c'est le Titoume qui lui fait signe de ne pas bouger, que c'est encore trop tôt, qu'on s'en est assez dit pour aujourd'hui, et qu'on se rejoindra... T'en fais pas, Nounours, le Métis trouvera bien moyen de vous sortir de là, de vous rendre vos terres et de vous nourrir.

Le soleil se couchait déjà quand le trio sortit du bois. Un soleil rouge feu.

— Il va faire chaud demain, que se contenta de dire la vieille.

— Il fera chaud tout le mois de juin, d'ajouter le Métis pour laisser entendre qu'il pardonnait.

Seul l'enfant ne dit rien. Il repassait dans sa tête les étranges et prodigieux événements de la journée... L'Oursagénaire était venue jusqu'à la cour, quasiment sur leur derrière de porte, parler à Ozite... non, point parler, tu n'as rien entendu, Titoume, elle se tenait là tout simplement, comme une apparition, et c'est lui, Tit-Jean qui l'avait aperçue le premier et qui avait couru en prévenir Ozite, et pis... et pis les deux centenaires s'étaient regardées, avisées, se faisaient des signes comme si elles s'échangeaient des idées, comme si elles avaient tout d'un coup décidé que le temps était venu de sauter la barrière... quelle barrière, Tit-Jean n'en savait rien, mais il comprenait qu'Ozite et l'Oursagénaire allaient bientôt se trouver du même bord et qu'il ne devait pas les laisser partir toutes seules. C'est comme ça que tout avait commencé.

... C'est comme ça, Simon, qu'il était parti au fond des bois, pour accompagner Ozite qui suivait l'Oursagénaire qui avait des choses à lui dire...

— Moi itou j'ai des choses à vous dire à tous les deux !

Et il laissa glisser de ses épaules une vieille ratoureuse qu'il avait portée depuis le royaume des ours, et la fit choir comme un sac de sucre dans son fauteuil d'osier. Il ouvrit la bouche pour dire ce qu'il avait à dire, mais Ozite le coupa raide en pointant l'autre sac de sucre, le vrai, celui qui se tenait prêt pour la confiture.

— Dès demain, j'ai besoin d'une bonne douzaine de casseaux de petites fraises, qu'elle fit.

Le Métis laissa tomber les bras puis les enfonça dans ses poches, pendant que le Titoume se frottait les joues pour les empêcher d'éclater en sourire.

En regagnant sa cabane, à la nuit tombée, Simon le Métis avisa une étoile qui n'était pas là la veille, entre la Petite et la Grande Ourse.

VI

C'était une année à fraises.

— Et attendez seulement le temps des bleuets ! L'année qui suit un feu de forêt vient toujours venger la nature.

Marie-Jeanne, Modeste, la femme à Zéphire, les voisines et les commères, toutes les ménagères de la Butte-aux-Oies et de l'Anse-au-Trésor se promettaient des pâtés aux bleuets et des tartes aux fraises à faire pâlir le gâteau aux anges de la servante du presbytère.

— Préparez-vous à vous sucrer le bec à la Saint-Jean-Baptiste, musaient les femmes aux oreilles de leurs hommes avant d'aller au lit.

Et les hommes du pays, en attendant les fraises, se consolaient avec autre chose.

Une belle année.

— Dommage que le temps de la chasse soit passé.

Loup-Joseph encore. Celui-là ne pouvait donc pas s'arracher les yeux de l'orée du bois. Ne pouvait se contenter de la pêche, des labours, des femmes et des violons, de la bière du samedi soir, et de l'exposition agricole qui promettait cette année de rendre leur monnaie aux cirques venus des États. Loup-Joseph et Grand-Galop. Deux enragés de la saison, qui ne semblaient prendre vie qu'avec l'arrivée des bourgeons en mai et la tombée des feuilles en octobre. Pas pour les feuilles ni les bourgeons. Ces chasseurs n'avaient jamais pris le temps de contempler les verts tendres du printemps, ni les ocres et les rouges de l'automne. Ils ne salivaient qu'à la vue des orignaux, des chevreuils, des loups et coyotes, des ours. Ozite avait dit un jour à la femme de Grand-Galop que son homme n'aimait au fond que le trou de sa carabine. Et l'épouse cette nuit-là avait dormi sur le ventre.

— Une sacrée belle année, renchérit Zéphire. La terre a déjà commencé à se fendre pour laisser respirer les pois verts.

Les cochons sont gras, les vaches ont vêlé, la jument a sauvé son poulain. Une bonne année.

Ozite fait semblant de ne pas voir l'œil inquiet de Titoume qui suit chacun de ses gestes comme s'ils engageaient son salut éternel : huit casseaux de fraises, quatre tasses de sucre, ajoute de l'eau, brasse, va me ragorner d'autres écopeaux, faignant, le feu va s'éteindre, et pis ôte-toi de là, tu me barres les jambes, ça commence déjà à bouillir à gros bouillons, baisse le feu, innocent, tu vois donc pas que ça va passer par-dessus !

— Ah ! la jeunesse d'aujourd'hui ! On croirait que ç'a jamais travaillé de ses mains. Tiens ! en v'là un autre flandrin qu'est point encore sorti du bois. Essuie-toi les pieds, Métis.

Le Métis se frotte les pieds sur les planches de la galerie et entre. Il plante l'index dans le sirop, puis pousse un «ayoye !» qui fait éclater Tit-Jean de joie. Chacun son tour. Puis l'enfant revient aussitôt à la casserole, bien déterminé cette fois à la sauver du naufrage. Il surveille le bouillon, baisse le feu, retourne chercher des écopeaux, lorgne, guigne, louche...attention !... non, tout va bien, il mangera son saoul pour une fois de confiture et de tartes aux fraises.

Une damnée bonne année !

— J'ai vu quelqu'un qui te cherchait en haut du champ tantôt, Titoume.

Tit-Jean lève les yeux sur le Métis et lâche la cuillère de bois qui coule à pic dans le sirop.

— Quelqu'un que je connais ?... Quoi c'est qu'i' voulait ?

— Va y demander.

Titoume regarde le jus rouge faire des bulles sur le feu, louche du côté d'Ozite, du côté de la porte, plante sa langue dans sa joue, puis dit à Simon de se mêler de ses affaires. Alors Simon s'assoit une fesse sur le coin de la table et ne dit plus rien. Plus rien. Rien du tout. Rien pantoute.

— Ben crache ce que t'as à dire, badgeuleux ! explose enfin Titoume.

Le Métis hoche la tête du bord du clayon, sans détacher les yeux de la casserole qui chuinte de plus en plus fort. Tit-Jean se remplit les narines de l'arôme visqueux ; puis d'un bond, quitte la cuisine où une centenaire aux doigts raidis par l'âge et les intempéries se bat avec un sirop qui cherche à tout prix à prendre au fond.

— As-tu fait ce que je t'ai dit ?

— Tel que vous me l'avez dit.

— Combien de sacs ?

— Tout ce que j'ai pu ragorner sur tous les derrières de portes de tous les logis des buttes.

— Des déchets ?

— Oh ! y a des genses qui prennent des bons restes pour des déchets.

— Ça fait qu'aussi ben en faire profiter ceux-là qui prendront des déchets pour des bons restes.

Simon le Métis sourit, mais se tait. Il ne révélera pas tout à Ozite. Il lui cachera qu'il n'a pas tout livré en forêt, mais en a semé la moitié le long du chemin, entre les buttes, et les bois. C'est Marguerite qui lui en a donné l'idée. Marguerite qui scintille la nuit au milieu de la voie lactée. Elle dansait sur le chemin Saint-Jacques qui traverse le firmament, sautant d'un astre à l'autre, et c'est là qu'il a eu l'idée : dresser un pont entre les deux mondes ; tracer aux bêtes une route vers le salut, la survie.

Ozite le regarde jongler et soupçonne le reste.

— Faudra bien finir par leur rebâtir une forêt.

— Ça va prendre vingt ans.

— Moi je m'y rendrai peut-être pas, mais toi t'es encore jeune, Simon. En attendant que la nature achève son ouvrage, faut leur venir en aide. Tâche d'instruire le petit.

Simon lance le mot sans savoir où la flèche s'en ira se planter.

— Qui ?... Qui c'est qu'est le vaurien, Ozite ?

La centenaire ne se sent pas tenue de comprendre. Après tout, si un faiseux-de-mystère veut s'amuser à jouer aux devinettes, c'est point Ozite qui va se croire obligée de rentrer dans le jeu. Et elle répond que le monde est plein de vauriens, surtout depuis que Noé a refusé de faire une

206

place aux défunts dans son arche. Et vlan ! tu veux du mystère, en v'là.

Mais le Métis est tenace. Il a besoin de savoir. Ça serait dommage après tout de s'en aller tuer un innocent.

— Quoi c'est qu'elle t'a dit, Marguerite, avant de passer ?

— Elle m'a chargée du petit.

— C'est pas toute.

— ...

— C'est qui, Ozite ?

— C'est point recommandé de frayer avec la Faucheuse.

— Je sais que c'est un gars des buttes... ou des anses. Faut qu'il paye, Ozite. Le petit a droit de se faire justice.

— Le petit ? Mais le petit sans lui existerait point. Faudra bien que tu finisses par choisir, Simon le Métis. Choisir entre la défunte Marguerite et son enfant qui, lui, est bien vivant. Imagine-toi que c'est ton fils à toi. Ou le fils de...

— ...De qui ?

— De quelqu'un que t'aimerais autant que toi-même...

— Y a rien que vous deux dans ma vie.

— Y a tous ceux des bois.

Le Métis calouette de toute la face. Il fouille la toile d'araignée jusqu'à rompre tous les fils qui la tissent, lentement, depuis cent ans. Mais la toile reste intacte, et Ozite retire la casserole du poêle. Par miracle, le sirop n'a pas pris au fond. L'enfant aura sa tarte aux fraises pour ses douze ans.

— Treize, Ozite, demain il aura treize ans.

— Ça sera ma fête, demain, Nounours. Reste autour et je te baillerai de la confiture aux fraises. Elle aura pris au fond comme d'accoutume, mais les ours sont pas regardants. En attendant, je t'ai apporté les queues.

Nounours saute de joie. Pour les fraises, pour Titoume, pour les bons restes dont sa famille et lui ont hérité depuis quelques jours et qui semblent avoir décidé Revenant-Noir à reporter l'exode à... à jamais. Nounours ne parvient pas à donner d'autres noms au temps : il ne connaît que le maintenant, toujours, jamais. Demain est une notion qu'il confond facilement avec le toujours. Pourtant il se souvient. Il apprend d'heure en heure à se souvenir. Mais confond volontiers la mémoire et le présent. Sa vie est encore si jeune qu'il la fourre tout entière comme une boule dans son ventre pour la garder au chaud.

— Je quitte mes douze ans demain, le jour de la Saint-Jean, interrompt Titoume. Après je serai un homme. Quasiment.

... Moi aussi je serai un ours bientôt.

— Des fois je me dis que c'est comme dommage.

... Ça nous empêchera pas de rester des amis.

— De toutes les femmes de la paroisse, la meilleure amie d'Ozite c'est l'Oursagénaire.

... Et Revenant-Noir croit que le Métis est un homme fier et courageux.

— Comment va la patte du grand emplâtre de Courte-Queue ?

... Courte-Queue passe son temps à manger les poux qui se prennent dans son poil du ventre.

Toutes les oursonnes se moquent de lui. Mais le Vieux-qui-Traîne-la-Patte, lui, pense que...

Il a dit «pense», le vieux sage pense... Et Nounours en reste perplexe.

C'est compris que les Belliveau se chargeront du fricot, les Léger des pâtés à la viande, la tante Modeste du pain doux, le presbytère du gâteau aux anges.

— Et chaque ivrogne apportera son cruchon.

On astique déjà les selles, les cordeaux, les attelages, on fait briller les cornes des bœufs et friser la laine des moutons. Les femmes ont tricoté des bonnets et des chaussettes durant tout l'hiver, crocheté des tapis, et piqué des courtepointes. Marie-Jeanne et la dame Zéphire se sont même lancées dans le petit point et la frivolité. Une exposition dont on se souviendra au pays.

Le grand manchot de Cyrille promène le bras qui lui reste d'une ferme à l'autre en fouillant dans les tas de ferraille. Il ne doit pas rester au village un seul piège à ours. Finis les massacres aveugles et injustifiés. Effacer jusqu'au souvenir du Ruisseau-aux-Renards. Et le vieil homme entre dans la grange des Léger où le père et le fils sont en train d'aiguiser les lames de leurs ciseaux.

— Approchez le baril, Cyrille, et faites comme chez vous.

Le manchot s'assoit et contemple le travail des hommes qui se préparent au concours de tonte des moutons. De fort belles bêtes qu'ils produiront, les Zéphire, comme chaque année. Et des bêtes qui fourniront de la laine de bonne qualité.

— On va les tondre au ras de la peau sans leur faire une seule grafignure. Si vous les entendez bêler, ça sera point de douleur, mais de coquetterie.

Le vieux Cyrille en rit d'aise. Demain sera un beau jour.

* * *

Le cerf doit revenir sur ses dires : les ours ne partent pas. Revenant-Noir, au contraire, semble plus enraciné que jamais dans sa boulaie. C'est le renard qui a répandu de fausses nouvelles... Point le renard, la fouine qui le tenait de la belette, sa cousine. Peu importe. Les ours ne partent pas en exil dans la forêt profonde. Tout ça n'était que de l'on-dit.

Puis le sous-bois se tait à l'approche de l'ombre noire qui s'en vient bercer sa croupe jusqu'aux abords de la source plus joyeuse que jamais. Une source revigorée, rajeunie, qui projette ses gros bouillons telle la fontaine d'un geyser. L'Oursagénaire écarte le petit gibier de son chemin et plonge le museau sous la mousse.

L'eau vive !

... Un beau jars de fils qu'elle a mis au monde, la vieille, un bel idiot d'empoté d'oursaud de rejeton ! Partir ? pour quoi faire ? pour aller où ? Au-delà des troncs calcinés, qu'il a dit. Là où les arbres ont des feuilles, des glands et des fruits. Pour combien de temps ? Jusqu'au prochain incendie ? la prochaine foudre ? la prochaine éclipse ? L'Oursagénaire n'en démord pas : c'est la faute à l'éclipse. Pas naturel, tout ça. Un soleil qui se couche en plein jour... pas dans l'ordre des choses. Faudrait en parler avec Ozite.

... Qu'est-ce qu'il fait là, c'lui-là ?

... Il est venu boire, grand-grand-mère.

... À son âge ? Un nourrisson devrait s'abreuver aux mamelles de sa mère et laisser les sources aux autres.

Nounours fait mine de ne pas entendre, mais garde ses distances... Ce qu'elle peut être malcommode quand elle s'y met, la vieille !

La vieille lui jette un œil par en dessous, puis se radoucit... Pas si mal bâti, l'oursot. Bonne gueule. Poil dru. Et sait déjà laper comme un ours. Celui-là apprendra vite à se tailler une place dans les bois, marquer les bouleaux de sa griffe, se construire un gîte d'hiver, et monter les femelles en saison. Apprendra surtout à déjouer le chasseur, puis guérir tout seul ses blessures. Et quand viendra le vieil âge...

... Viendra un temps où tu devras faire le choix.

Nounours ne comprend pas.

... Un choix c'est... Elle ne sait pas, non plus. Mais elle sait qu'elle a dû le faire. Le jour où elle a confronté ses dires à ceux d'Ozite, où elle a forcé la nature à la faire grimper d'un cran, la vieille ourse a choisi. Un ours, pas plus qu'un homme, ne doit se contenter de son sort et se satisfaire de sa destinée.

Nounours en a le cerveau complètement détraqué. Et il a grand hâte de retrouver son copain le Titoume pour s'informer de son sort et comprendre de quoi à sa destinée.

Mais en attendant, il doit rejoindre le clan des ours où son père, debout au mitan de la clairière, transmet aux autres sa dernière stratégie. Demain, tous les chasseurs seront à l'exposition. Les champs, les arrière-cours, les jardins-potagers, les buttes seront libres comme les bois.

À tout prendre, une bonne année !

VII

C'était samedi, c'était son anniversaire, c'était la Saint-Jean !

Tit-Jean à Margot regarda le soleil se lever du côté des buttes et lui montra le poing :

— Vieux bougre ! Aujourd'hui c'est moi qui sors du lit le premier.

Et il roula en bas de sa paillasse. Il n'aurait pas trop d'une longue journée, la plus longue des quatre saisons, pour s'habituer à sa nouvelle vie. Sa vie d'homme. Il se planta devant le miroir de la commode et s'examina le menton. Un duvet comme celui de ses jambes... C'est pas encore ce qu'un homme peut appeler de la barbe, Tit-Jean, va pas te faire des idées. Et c'est pas parce que tu viens d'attraper tes treize ans que tu vas te mettre tout d'un coup à pisser en l'air.

Il sortit de son grenier par la lucarne pour ne pas réveiller Ozite, glissa le long d'un poteau de la galerie, puis atterrit aux pieds de la vieille qui rentrait de la grange.

— Les animaux en premier, qu'elle fit.

Tit-Jean sourit tristement. Il savait qu'Ozite savait que la grange était vide depuis que la dernière vache avait refusé de vêler, la dernière poule refusé de couver, depuis que la dernière truie n'avait mis bas que des avortons. Le Métis pensait d'ailleurs que la vieille avait pu le faire exprès de laisser s'éteindre les domestiqués de la grange et du poulailler, en faveur des sauvages de la forêt. Ozite, comme Simon, ne croyait pas aux vertus domestiques. Et puis à cent ans, ce n'était plus un âge pour recommencer une lignée.

— Et toi, coureux de chemins, t'auras d'autre chose à faire faire à ta vie que de racler du fumier derrière la grange.

Elle a dit ça sur le même ton que tout le reste, sans plus d'emphase que si elle envoyait l'enfant cueillir la rhubarbe dans le champ des Zéphire.

— Je m'en vas à l'exposition, qu'il dit sans regarder la vieille.

— Pas avant de te décrasser la face et les genoux et de manger ton bol de gruau. Et pis laisse le temps au veau à cinq pattes d'arriver avant toi.

Cette année-là, le veau à cinq pattes ne se présenta pas à la foire agricole, il avait crevé sous l'effort. Selon le vieux Cyrille, on n'a jamais vu un bœuf à cinq pattes : le veau monstre n'a donc aucune chance de se rendre à l'âge adulte. Mais les buttes et les anses n'étaient pas en reste, amenez-vous, messieurs-dames, à l'exposition. L'Anse-au-Trésor et la Butte-aux-Oies rivalisaient d'ingéniosité et d'innovation, et regorgeaient d'œufs de Colomb. Pendant que les hommes promenaient leurs bêtes à trois cornes et leurs taureaux d'une demi-tonne attelés de rubans et de papier crêpé, les femmes exposaient sur les comptoirs confitures de gadelles et de groseilles, pâtés au lièvre, gâteaux marbrés, marmelades, marinades qui avaient tout l'air de tomber tout droit de la gueule des gramophones, ou de surgir des courtepointes et des tapis crochetés à la main.

Modeste lève la tête et plante les yeux dans les fleurs du tapis que vient de dérouler Marie-Jeanne. Mais... mais ces fleurs... ces fleurs sortent de son propre coffre ancestral, c'est le modèle même qu'a inventé la grand-mère Mathilde, il y a passé cent ans, c'est un bien de famille, personne, pas même la Marie-Jeanne, a droit de toucher aux fleurs d'autrui, c'est du vol ! Et Modeste dénoue son tablier bordé de dentelle, enlève ses souliers à talons hauts et chausse ses galoches.

— Ça sera point dit qu'une paroisse respectable va permettre ça, qu'elle crie en quittant le terrain d'exposition et en dévalant à grands pas la colline qui mène à son logis.

... Elle ne perdra pas de temps, la Modeste, s'en ira tout droit à son grenier, se fera un chemin entre les antiquités et les vieilleries, atteindra le coffre, celui que les aïeux ont rapporté de la Déportation, et exposera à la face du pays le vrai tapis, l'original, l'unique à un exemplaire au monde, confondra sans honte la Marie-Jeanne qui, vu son âge, se croit tout permis, comme si l'âge donnait des droits, comme si ça n'était pas écrit en toutes lettres dans la Bible que...

Modeste vient de se changer en statue de sel. Elle ne bouge plus, ne respire plus, ne pense plus. Elle rêve. Elle rêve que son village tout entier est envahi par les ours. Il y en a partout :

215

sur la grand-route, dans les jardins, sur les pelouses, autour des granges, dans la cour du presbytère, sur le parvis de l'église. Une Butte-aux-Oies où circulent tranquillement et la tête haute un peuple d'ours sauvages.

Combien de temps Modeste serait-elle restée figée ainsi, à dérouler son rêve jusqu'au bout de la bobine, jusqu'au réveil brutal à la fin des temps, si l'Oursagénaire ne s'était risquée à venir humer ses chaussures qui dégageaient une forte odeur de labour et de foin salé ? Le contact du pelage dru sur ses jambes arrache Modeste à son mauvais rêve et la ramène à ses buttes. Au jour d'aujourd'hui. À sa vie présente. Et à ses cris et hurlements.

Personne n'avait vu partir Modeste, pas même Tit-Jean à Margot qui fut le premier sur le terrain de l'exposition avec les poulains et les moutons, avant les femmes et les enfants des buttes. Il ne voulait rien perdre, Titoume, et suivait le déroulement de la foire tel un gardien de phare, agrippé à la flèche de la grange à deux étages. Il avait vu apparaître le superbe étalon des Léger, et se pavaner les chevaux de course de l'honorable Gilbert, le député du comté. Il avait surveillé le concours de tonte des moutons ; contemplé la parade des dindons et des jars ; reluqué le combat de coqs derrière le hangar, à l'abri des regards des juges et du curé. Il n'avait rien perdu de la foire, Tit-Jean, sauf qu'il n'avait point vu partir la tante Modeste.

Mais il la voit revenir. À reculons. Qui regrimpe la colline tel un automate remonté à l'envers, tel un revenant qui cherche à se voiler la face, la tête entre les mains, les pieds s'arrachant de la terre comme des souches déracinées. Il

216

agrandit les yeux pour comprendre avant d'en informer les autres, avant de semer la panique dans la foire avec la nouvelle que sa tante vient de chavirer. Puis il dégringole de son clocher de grange et s'avance vers elle, doucement, en tenant son souffle pour ne pas l'effrayer, lui met la main sur l'épaule et...

— Iiiiiiiiiiii ! ! ! ! !...

Le cri de Modeste enterre même les gramophones et réveille enfin ses voisines et commères sur sa disparition. Elles accourent toutes en même temps, se bousculent pour être premières à ramasser les restes d'une Modeste qui ne reconnaît plus personne mais s'obstine à répéter des paroles complètement dénuées de sens...

— Les bêtes sauvages sont installées au pays, qu'elle miaule, les ours nous ont envahis.

Totalement dénuées de sens.

Sauf pour Tit-Jean qui vient de déchiffrer les mots de la folle et de comprendre d'où vient sa folie. Il saute aussitôt de son juchoir et part en roulant en bas des buttes.

... Plus vite, Titoume, plus vite, roule, dépêche-toi...

Il les voit.

Toute la troupe : Revenant-Noir, le Vieux-qui-Traîne-la-Patte, les oursonnes, l'Oursagénaire, à l'écart des autres comme d'accoutume, Courte-Queue, les jeunes ours de deux ou trois ans, Nounours. Heureux comme des papes ou des cochons en foire. Jamais les bêtes n'ont connu pareil mardi gras. Des tas, des provisions, des stocks, des surplus, des plantées, des profusions, des réserves d'hiver, la corne d'abondance ! Les ours s'empiffrent à s'en rendre malades. Longtemps Tit-Jean les contemple, sans pouvoir s'arracher à son extase, sans se décider à les prévenir

217

du danger... un danger qui s'amène déjà, du haut des buttes, armé de pics, de faux et de fusils.

— Allez-vous-en ! hurle Tit-Jean.

Plus tard, il devait avouer au Métis que son cri s'adressait à tout le monde : aux ours, mais aussi aux hommes, peut-être au ciel qui avait tout manigancé. Car pareil jeu du destin — comment les ours avaient-ils appris qu'on allait ce jour-là vider le village ? pourquoi Modeste avait-elle décidé de rentrer à ce moment précis ? — pareil destin était planifié d'en haut. Le ciel seul avait organisé le combat.

Et le combat eut lieu. Le jour de la Saint-Jean. Au cœur des buttes.

Tit-Jean, du fond de sa paillasse, rêvait souvent à la guerre. Des vétérans avaient rapporté du front tant d'histoires glorieuses où les deux camps, de leurs tranchées respectives, visaient en même temps, tiraient en cadence, fonçaient, s'attaquaient à la baïonnette, et s'exterminaient mutuellement, pour la plus grande gloire et le salut de la patrie. Chaque garçonnet de son âge languissait après la prochaine guerre. Mais Tit-Jean n'avait jamais imaginé le fouillis des premières heures d'un combat, la confusion et la débandade où plus personne ne sait ce qu'il fait, ce qu'il doit faire, pour quelle raisons, à qui il en veut, et pourquoi.

— Arrêtez ! allez-vous-en ! qu'il s'égosillait en se répandant par tout le village, volant d'un clos à l'autre, d'une arrière-cour à un devant-de-porte.

Mais aucun chasseur ni aucune bête ne l'entendait, chacun ne songeant plus qu'à sa peau, ou à la peau de l'autre.

218

... Aurait-il le temps d'aller chercher le Métis ? Ozite serait inutile. Et un tracas de plus. Fallait ramener le Métis. Tout de suite. Dans la seconde qui suit. Le Métis. Seul le Métis pouvait se faire comprendre des deux camps... Plus vite, Titoume... le Métis, vite.

Il était trop tard. Quelqu'un avait déjà abattu Courte-Queue, l'oursaud de Courte-Queue, qui n'avait pas réussi sur trois pattes à sortir à temps du carré d'oignons des Belliveau.

— Quoi c'est que tu fais là, Simon le Métis ?

C'est Loup-Joseph qui menace le Métis penché sur l'ours râlant. Avant de lever les yeux sur le braconnier, Simon donne le coup de grâce à Courte-Queue qui, tout bête qu'il est, n'a pas mérité cette honte-là. Et Courte-Queue avec gratitude offre à son bienfaiteur son dernier soupir.

— Déchire pas la peau ! qu'avertit une seconde fois Loup-Joseph.

Alors le Métis fait glisser son couteau en zigzag tout le long de la colonne dorsale de la bête, jusqu'à l'os, entaillant la fourrure des épaules à la croupe. Cette peau-là n'aboutira sur aucun siège de carriole, monsieur.

Sur le coup, Loup-Joseph détourne le canon de son fusil de l'ours et vise l'homme qui ricane, les yeux braqués sur le front du chasseur.

— Vas-y, assassin, que crie le Métis, ça te fera deux revenants à revenir hanter tes nuits d'hiver.

... Tu seras vengée, Marguerite. Aujourd'hui, tu seras vengée.

Et Simon le Métis déclenche le verrou de la gâchette de sa carabine.

219

Grand-Galop a vu le geste et court en prévenir Zéphire qui ne sait si le danger le plus imminent se situe du côté des ours ou des hommes. Car en même temps que le Métis, avance Revenant-Noir, suivi de l'élite de ses troupes. Le grand Cyrille comprend que les ours n'ont plus le choix, qu'on leur a coupé les ponts du côté de la colline où les femmes se tiennent serrées en bouquet. Faudrait dégager le passage, laisser aux bêtes une retraite honorable. Mais allez faire comprendre ça à une Modeste en pâmoison et des voisines en délire. Tout le pays hurle d'horreur et d'épouvante. Tandis que les ours cherchent à sauver leur vie.

Des vies qui ne tiennent plus qu'au caprice du destin, à la chance, à la bonne volonté des dieux. Et Tit-Jean voudrait se jeter à genoux. Car là-bas, juste derrière le premier rang des ours de combat, il vient d'apercevoir Nounours qui saute, et montre les dents, et secoue sa croupe de soie, prêt pour la relève. Sa mère-ourse a beau le repousser d'un coup de patte, il réussit toujours à se faufiler et se retrouver en première ligne.

— Nounours ! crie enfin Titoume, reste pas là, Nounours !

L'Oursonne dresse la tête et ouvre de grands naseaux.

A-t-elle en cet instant reconnu l'ami de Nounours, ou craint pour son ourson ? Tit-Jean n'a le temps que de la voir avancer, bousculer les mâles, et bondir. Et elle reçoit la balle en pleine poitrine. L'enfant d'instinct se retourne du côté des hommes pour savoir qui a tiré. Trois chasseurs ont le nez collé au canon de leurs fusils : Loup-Joseph, Grand-Galop et Zéphire, si fait, Zéphire qui a toujours prétendu que les ours constituaient la plus grande richesse de nos bois.

Et Tit-Jean sait qu'il va vomir, et qu'il lui faut protéger ses chaussures.

Le reste s'était déroulé comme le film de ses rêves, plutôt de ses cauchemars, le genre qu'il pouvait se permettre la nuit, sachant bien que le matin la réalité le vengerait. Mais aujourd'hui le massacre des ours, ses amis, se passait en plein jour, en pleine vie. Il assistait impuissant à un combat inégal où des chasseurs tiraient à vue, sans discrétion, abattant des femelles, comme des oursons de deux ans, au mépris des lois et de l'honneur. Après Courte-Queue et l'Oursonne, il avait vu mourir une demi-douzaine d'ours qui ne savaient plus où abriter leur peau et se lançaient sur tout ce qui bougeait sans même le reconnaître.

Puis il avait vu se détacher Revenant-Noir qui s'en était venu, au nez même des hommes rangés en bataille, flairer la dépouille de sa femelle préférée. Alors Grand-Galop avait visé. Mais à l'instant de déclencher, il avait entendu le juron du Métis :

— Tire, mon son-of-a-gun, et tu le rejoins avant de reprendre ton souffle.

Grand-Galop avait redressé la tête et baissé le canon de son fusil.

— Fais pas le fou, Métis.

... Ça serait-i' celui-là ? Un homme qui peut viser un Revenant-Noir au pied du cadavre de sa femelle peut faire n'importe quoi.

— Quoi c'est que t'as fait, vaurien, douze ans passés ?

Et lentement le Métis lève son fusil sur Grand-Galop. Les ours n'ont pas l'air de comprendre et tournent en rond en poussant des grognements déchirants.

— Quoi c'est que t'as fait à Marguerite, mon enfant de chienne ?

Les femmes continuent de craindre et de geindre au loin, sans oser descendre de l'horizon. Mais au nom de Marguerite, Marie-Jeanne et la femme à Zéphire ont réagi vivement. Tit-Jean les a vues. Et s'est demandé...

Mais Zéphire s'en est venu à cet instant-là s'interposer entre le Métis et Grand-Galop.

— Tu te trompes, Simon le Métis. C'est ni Grand-Galop, ni Loup-Joseph. Fais pas de bêtises pour rien.

— C'est qui ?

Alors s'amène le vieux Cyrille. Il s'approche du Métis et lui parle tout bas. Tit-Jean n'arrive pas à entendre. D'ailleurs Tit-Jean ne veut plus entendre, rien entendre, il ne cherche qu'à conjurer le sort, car il vient d'apercevoir Nounours qui saute encore, derrière Revenant-Noir, autour du cadavre de sa mère. Il pousse des cris rauques, des geints que Tit-Jean n'a jamais entendus auparavant sortir de sa gueule, et qui se mettent à muer petit à petit comme si la gorge de l'ourson s'enfonçait dans son gosier. Il gronde et grogne comme un ours.

— Nounours ! hurle Titoume.

Puis il s'élance. Entre les ours et les hommes. En plein sur la ligne de mire. Et vient se poster du bord de Revenant-Noir, à côté de Nounours et du cadavre de l'Oursonne. Tous les hommes font aaaah ! et laissent tomber leurs fusils. Le temps s'arrête. Fait trêve. Plus rien ne bouge. Puis le Métis se réveille et lentement, en avançant sans écraser les brins d'herbe, rejoint le Titoume qui tient son ourson par le cou. Il emporte dans ses bras le petit d'ours et l'enfant, sous les yeux sidérés de deux ou trois villages qui pratiquent la chasse depuis que le monde est monde. Il revient sans apercevoir Revenant-Noir qui s'est dressé en voyant partir Nounours et prépare son bond légendaire de roi de la forêt. Les villages retiennent leur souffle, cherchant sans succès à s'arracher les pieds de l'argile. Le monde est figé. Loup-Joseph pourtant parvient à bouger. Il épaule sa carabine, celle de son frère, mais n'a pas le temps de tirer sur la gâchette : Revenant-Noir l'a déjà renversé, envoyant la balle ricocher sur le gros bourdon de la paroisse qui sonne comme un glas.

Le Métis laisse aussitôt tomber son double fardeau où peau et pelage, jambes et pattes se confondent au point de ne plus distinguer le petit des champs du petit des bois, et se jette sur Revenant-Noir qui se préparait à faire du Loup-Joseph un joli cadavre. Tous les chasseurs comprennent en même temps et ajustent leurs armes.

La suite se déroula avec une telle vitesse et tant d'étrangeté, que Tit-Jean aurait besoin de bien du recul et d'une profonde analyse pour démêler les fils d'une tragédie qui venait de planter un point d'orgue dans son enfance.

Il fut témoin de la lutte à bras-le-corps du Métis avec Revenant-Noir, le roi des ours, pendant que le manchot Cyrille s'en venait à main nue tenter de dégager un Loup-Joseph râlant, secondé enfin par les autres chasseurs, encouragé par les femmes qui descendaient de leur colline, le tout dans un rite quasi sacré, en silence, durant les longues secondes où le Métis avait tout l'air de parler à l'ours, comme si soudain le demi-sauvage avait reçu le don des langues. Les deux combattants se tenaient serrés l'un contre l'autre, à la vue des hommes et des ours, l'instant que tous comprennent qu'on ne se voulait aucun mal.

C'était tenter le ciel, Simon le Métis. Tenter Grand-Galop qui voyait son copain gisant et défiguré. Et Grand-Galop tira. Tira sur celle qui était venue s'interposer entre bêtes et gens, comme un émissaire, en signe de réconciliation. Elle venait demander aux hommes de... dire aux hommes que... Ah ! pis tant pis, l'Oursagénaire ne savait plus ce qu'elle s'en était venue faire là, ne se souvenait plus... et reçut la balle au milieu du front. Alors sa tête fit de grands cercles au-dessus de ses épaules qui s'était redressées comme pour atteindre l'inaccessible... on ne savait jamais, d'un coup que quelque chose là-haut... quelque part quelque chose lui était réservé... pour l'éternité...

Et l'Oursagénaire s'effondra, en faisant revoler une touffe d'insectes et de papillons jaunes, et en réveillant le bavard de geai bleu qui partit dans la direction de la Crique.

La vieille avait hérité de la dernière balle. À la vue de la gisante, plus personne ne tira. Et le Vieil-Ours-qui-Traîne-la-Patte put rassembler les lambeaux du clan de Revenant-Noir, dégager Revenant-Noir lui-même de l'étreinte de l'homme, et ramener en forêt le restant du peuple des ours.

Tit-Jean regarda partir la troupe et dénoua ses bras du cou de Nounours. Et Nounours s'en fut rejoindre son monde, la queue en l'air pour dire aux chasseurs de la Rivière qu'au tournant, à l'avenir, faudrait composer avec lui. De loin, il faisait de la tête et des pattes de grands signes à Titoume, son copain, son ami, son frère des champs.

Titoume voulut répondre en lui criant de prendre garde à lui... mais ne reconnut pas le son de sa voix, rauque et fêlée.

* * *

On soigna et réchappa Loup-Joseph. Puis avant d'enterrer les carcasses, en écorcha les bêtes pour la fourrure. Mais personne n'eut la peau de l'Oursagénaire.

— Viens m'aider, avait dit le Métis à Tit-Jean.

Et les deux hommes s'étaient attelés à la vieille ourse pour la traîner jusqu'à la Crique.

VIII

Tit-Jean et Simon le Métis devaient s'arrêter souvent, l'Oursagénaire ne pouvait plus s'aider. D'ailleurs la vieille fantasque ne s'était jamais aidée de sa vie, alors... Ils s'arrêtaient pour respirer, refaire leurs forces, boire à même le goulot d'un flasque de whisky. Tit-Jean n'avait jamais goûté au whisky et sentit très vite sa tête tourner. Sensation étrange, mais pas du tout désagréable. Comme si le monde plongeait dans le vide, roulait sur lui-même, puis s'en allait s'entortiller autour des planètes et de la voie lactée. Vue de là-haut, la Rivière n'était plus qu'une chenille onduleuse et dorée.

Depuis un certain temps, le Métis parlait. Depuis au moins leur sortie du pont couvert. Mais Tit-Jean venait tout juste de comprendre que ces mots s'adressaient à lui. Des mots transparents, ambrés, voltigeants telles des feuilles d'automne, autonomes et indépendants. Chaque mot entrait directement dans son ventre. Ses oreilles ne lui servaient plus à rien. Il n'entendait ni la phrase ni le discours, seuls les mots... «Les ours», «Nounours», «l'Oursagénaire». Puis soudain, il reçut un mot composé, «Revenant-Noir», enveloppé de silence et de mystère. Alors Tit-Jean chercha à nager hors de son épais brouillard, jusqu'au bord, jusqu'à la rive.

... L'homme... est mort... dans les bois, que disait la voix, l'année... de ta naissance... Personne n'a retrouvé son corps.

Tit-Jean est saisi de convulsions, d'un hoquet spasmodique, mais entend, entend toute la phrase, comme si les mots soudain s'accrochaient les uns aux autres pour recréer un tableau vivant.

... Le vieux Cyrille croit que c'était un colporteur.

Le hoquet s'achève dans un flot de vomissure qui lui jaillit de la gorge et du nez. Puis les convulsions se calment et s'arrêtent.

... Le pays en a connu plusieurs de ces passants de porte en porte, vendeurs ambulants venus de n'importe où. De terre inconnue.

De terre inconnue, se répète Tit-Jean qui éprouve maintenant un tel soulagement dans l'estomac, qu'il en oublie le malaise de son cœur.

... Il aurait rencontré Marguerite dans une clairière, ou l'aurait suivie. Marguerite allait souvent dans les bois ramasser les bleuets pour Ozite... pour la confiture.

La confiture. Toute sa vie, Ozite fut une mordue de confiture. Même avant sa naissance... Sa naissance... D'un colporteur sorti de terre inconnue ?

— C'est le vieux Cyrille qui te l'a dit ?

— Le vieux Cyrille m'a parlé rien que du colporteur, le reste, je l'ai compris tout seul.

Le reste ?

— Revenant-Noir.

— ... ?

— ...La sacrée vieille salope d'Oursagénaire aurait pas pu se faire maigrir sus ses vieux jours ? Ça doit peser au moins six cents livres c'te carcasse-là.

... Ne cherche pas à changer de discours, Métis, Tit-Jean est sorti de la brume.

— Quoi, Revenant-Noir ?

— Il te fera jamais aucun mal, celui-là.

— Pourquoi ?

Le Métis lâche l'attelage et s'assoit sur le dos de la vieille ourse. Tit-Jean reste debout et le toise. Alors le Métis fourre ses doigts dans le pelage, profondément, comme s'il cherchait à réveiller par ses chatouilles une Oursagénaire qui faisait semblant de dormir, une Oursagénaire qui se mettrait soudain à parler la langue d'Ozite et racontrait tout à l'enfant... sa naissance de père inconnu qui en mourant...

— ...en mourant, ton père s'est réincarné... la même année... dans les bois.

Tit-Jean est complètement dégrisé.

... Son père vit, il a douze ans, il est un animal des bois.

Tit-Jean tient son souffle, puis plantant ses yeux dans ceux de Simon, il murmure :

— C'est Revenant-Noir ?

Le Métis ne répond pas, sinon qu'il indique du front la tête de l'Oursagénaire : si quelqu'un au monde le sait, ça ne peut être que celle qui fut sa mère.

... Mais elle est morte, l'Oursagénaire, emportant son secret dans ses paradis inconnus. Il ne reste plus personne, en dehors de Revenant-Noir lui-même, exilé pour longtemps avec le reste de sa tribu en forêt profonde. Les ours ne réapparaîtront pas au pays de la Rivière avant la prochaine génération des bouleaux blancs. Quand il retrouvera son ami, Titoume sera un homme et Nounours un ours. Et Revenant-Noir, son père, ne sera plus.

— Il te l'a dit, l'Ours ?

— Il me tenait serré contre lui pour que j'aille point faire le fou et tuer un innocent.

Et le Métis ingurgite un grand coup de whisky.

— Pis il grognait des jargons dans mon oreille... des «Margot»... je suis sûr que j'ai entendu «Margot»... C'est à cette heure-là que j'ai tout compris. J'ai pu tout mettre ensemble : pourquoi c'est faire que j'ai jamais pu me décider à tirer sur Revenant-Noir, que lui-même m'aurait jamais sauté dessus, que le clan tout entier te laissait approcher de la clairière, et jouer avec Nounours comme si vous étiez des frères...

Rendu là, le Métis éclate en sanglots longs comme des violons d'automne, et vide d'un trait la bouteille.

Tit-Jean penche la tête jusqu'au front de l'Oursagénaire et lui crie :

— Revenez, grand-mère ! Juste un dernier souffle avant de passer.

Si vous pensez que l'Oursagénaire se donnerait cette peine, elle qui durant toute sa vie...

Puis Tit-Jean se redresse, le cerveau en feu. Ozite ! Il reste Ozite ! Et il abandonne Simon le Métis à sa ribote et à son fardeau, et file vers le logis.

Simon le Métis n'atteignit la maison d'Ozite que tard dans la nuit. Seul, puant l'alcool et le vomi, gueulant des chansons d'amour à la Bételgeuse et à la Grande Ourse. Il se balança sur le clayon, tricola jusqu'à la galerie... oh ! oublie pas de t'essuyer les pieds, Simon... poussa la porte... referme, repousse la porte, recommence, Simon...

Puis il sortit d'un coup sec de sa saoulerie.

Sous ses yeux, Tit-Jean pleurait ses dernières larmes d'enfant, couché sur le corps d'Ozite qui avait trépassé sans prévenir personne.

On enterra les deux vieilles côte à côte, dans la cour, au pied d'un pommier centenaire.

Pour la forme, et pour faire taire les mauvaises langues qui plus tard seraient capables de s'en prendre à Tit-Jean, Simon le Métis consentit à la simagrée des funérailles avec Dies Iræ, goupillon, et mise en terre : mais la mise en terre d'un coffre où le Métis avait pris soin de coucher une bûche de bois franc, du poids et de la taille de la centenaire qui n'avait cessé de se racornir et de se recroqueviller dans les derniers temps. Mais quand Modeste, la dame Zéphire, la vieille Marie-Jeanne et les autres s'approchèrent du trou avec leurs poignées de terre, le Métis et Tit-Jean s'échangèrent des clins d'œil, puis quittèrent le cimetière et s'en furent fleurir de marguerites des champs les vraies tombes d'Ozite et de l'Oursagénaire.

— Je planterai de la rhubarbe et des petites fraises tout autour, que fait Tit-Jean.

— Et des citrouilles à l'automne, que répond l'autre.

— Comme ça, ça manquera point de confiture là-bas.

— Je connais deux vieilles qui vont s'en lécher les babines longtemps.

— À moins que le sirop s'en aille comme d'accoutume prendre au fond ?

Le Métis lève la tête et fixe les constellations.

— Avec le Chariot de la Grande Ourse et le Feu du mauvais Temps, jamais je croirai qu'Ozite pour une fois va point réussir sa confiture.

L'enfant plonge à son tour dans les étoiles et sourit à ses aïeules. Il n'en aura pas trop de deux pour veiller sur sa vie qui commence.

Ça se passait douze ans après ma naissance... de père inconnu et de ma mère Marguerite.

31 mai 1990